作詩の技法

なかにし礼

河出書房新社

作詩の技法 † 目次

作詩の技法

『作詩の技法』のためのまえがき

　このたび『なかにし礼の作詞作法　遊びをせんとや生まれけむ』（一九八〇年十月、毎日新聞社）が加筆修正の上『作詩の技法』というタイトルで装いも新たに復刊されることになった。四十年前の仕事が今また陽の目を見るのは、作者としては誠に面映ゆいものがあるが、これも何かの縁または時代の要請と思えばもって冥すべしで、喜びとしなければならないであろう。

　四十年前と言えば、半世紀近い昔のことであり、そんな昔の「作詩術」なるものが今の時代に通用するのかと誰しもが怪しむであろうが、世は移り時は変われど「歌の心」には少しも変わりがないという現実は厳然としてある。むろん歌の生まれ方や伝達媒体、そして流行としての世間の嗜好に変化のあることは当然であるが、それでも「歌の心」はやはり不変なのである。

　かつて二十歳の頃、私は今やすっかり忘れ去られたフランスの流行歌、シャンソンの訳詩に情熱を傾け、その他も加えておよそ一千曲の訳詩をやり、『知りたくないの』のヒットをきっかけとして作詩家になったのは二十六歳の時であった。

　あの、日本の歌を書くことが天職のように思えた若き日の私があのまま今日の日本にワープしたとしたら、私は歌を書きたいと思うだろうかと考える時がある。しかし答えはいつも同じなのが不思議だ。私はきっと今でも歌を書くだろう。それが答えだ。

一九六〇年代の音楽媒体と言えば、テレビ、ラジオが中心であることは当然として、街の喫茶店には大抵、ジュークボックスが備えられていて、十円硬貨を入れると、そのジュークボックスに入れられている百曲近い歌の中から好きな歌を聞くことができた。

ところが、このジュークボックスには外国のヒット曲も入っているわけで、それらと戦って勝てなければ、人の耳には届かない。戦う相手はビートルズ、ベンチャーズ、ローリングストーンズ、アニマルズなど錚々(そうそう)たる面々だ。まさにそこでは音楽の世界戦争が行われていたのである。

しかし勝たなければならない。ジュークボックスという小さな箱の中の戦いであるが、とにかく勝たないことにはヒットという歓喜は味わえないのである。この戦いに勝つための様々な苦心と努力と情熱が日本のポピュラーソングを強くしたのだ。

ザ・スパイダースの『夕陽が泣いている』、ブルーコメッツの『青い瞳』『ブルー・シャトウ』、ザ・ピーナッツの『恋のフーガ』、黛ジュンの『恋のハレルヤ』、ザ・タイガースの『君だけに愛を』などはみなジュークボックスの熾烈(しれつ)な戦いを勝ち抜いた勝者たちなのだ。

その頃の私はジュークボックス戦争に積極的に挑んだものだ。たとえ場所は日本という小さな国の中の小さな箱の中の戦いであれ、勝ち抜くことにはやはり価値があるのだ。

さて、時代は変わって今や私たちはインターネットの世界にいる。ここでは、文字通りの音楽の世界戦争が連日繰り広げられている。そのネット世界の音楽戦争で日本は大きく水を開けられている。それには言葉の問題もあるだろう。

しかしそれは言い訳にすぎない。かつて『上を向いて歩こう』（『スキヤキ』）が世界を席巻したことがあるじゃないか。いい歌は世界の人々の心を打つものなのだ。

私はきっと今でも歌を書くだろう、とはそういう意味で言っているのだ。私は現在、歌を書くことから距離をおいて、小説やエッセイを書くことに精を出しているが、それは私の人生プログラムがそうさせているので、これはもはや仕方がない。

私の音楽の世界戦争にかける思いは若い人たちに託そう。それがこの『作詩の技法』を世に出すことの本当の理由である。

日本でヒットする歌なんてそんな狭いことを考えずに、世界のヒットソングを書こうではないか。身の回りの人たちを感心させる歌ではなく、世界の人々を感動させる歌を書こうではないか。決して誇大妄想ではない。現にそれをやっている歌手や作詩家作曲家が世界には大勢いるし、日本人にだってそれをやってのけてる人がいる。あなただって、やろうと思えばできるのだ。どうしたら古来不変の「歌の心」をつかみ、表現することができるか。そのための秘中の秘は行間に隠れているかもしれない。それを読み取っていただけたら、作者としてはそれに優る喜びはない。

ひょっとしたらこの本には魂の錬金術にも優る秘術が、門外不出の奥義が、一子相伝の秘伝がかくされているかもしれない。熟読玩味されんことを願う。

二〇二〇年二月吉日

なかにし礼

第一章　気がついたら作詩家

地下室のメロディ

ぼくの家には、自分が作詞したレコードは一枚もない。他人が書いた歌謡曲のレコードも、これまた一枚もない。ましてや、ヒット賞とか、ゴールデンディスクとかいったたぐいのキラキラとまぶしいものはまるっきり飾っていない。

下書きの原稿もない。これは現実に困ることがある。直しの依頼が入ったり、間違って印刷されたりした場合、ぼくが書いたのはどんな文句でしたっけと相手にきかなければならないことになる。相手にも済まない気がするし、無責任のような気もする。だが、もう長い年月の習慣だからやめるわけにいかない。一曲書きあがって、清書するや、下書きの方は丸めてゴミ箱へポイッ。最近では、これも面倒くさくなって、歌を書く時は鉛筆を使うようにしている。途中、何度か書きなおしても消しゴムで修正できる。修正しながら書いてゆくから、書きあがった時は、文字通りの書きあがりで清書の必要がない。なんで、もっと早くに気がつかなかったのかと、今頃、くやしがっている。

黒いインクとか青いインクでなきゃならない理由はどこにもないのだし、鉛筆で作詩していけない法などあるはずないのに、ぼく自身、つまらんことにこだわっていたようだ。

といったわけだから、ぼくの家の中に歌謡曲が流れることは全くない。テレビからも、ラジオからも、ステレオからも、もちろん、ぼくの口からも。永年行きつけの床屋さんは、ぼくが店に入ると、ラジオとか有線放送のスイッチを切ってくれる。

それほどまでに、お前は歌が嫌いなのか。

いや、そんなことはないのだ。だから、困ってしまう。

じゃあ、お前は歌が好きなんだな。

いや、その言葉はもっと困る。自分でもよくわからないのだ。とにかく、歌を聞くと、その瞬間、頭がオンになってしまう、つい真剣に聞いてしまうし、アレコレ批判などして疲れてしまうのだ。まあ一種の職業病かな。

終戦の年、八歳。家族は満洲のハルビンに住んでいた。その年、父が死んだ。

窓を開ければ　港が見える

メリケン波止場の　灯が見える

ロシア人の少女は唄いながら、セーターの胸のボタンをはずしていった。かすかにふくらんだ乳房がのぞいた。ぼくは、その乳房に顔を埋(うず)めた。

ぼくの頭の上では、少女が低い声で唄いつづけている。

夜風　潮風　恋風のせて
今日の出船は　どこへ行く

『別れのブルース』
藤浦　洸・作詩
服部良一・作曲

歌というものがぼくの耳に聞こえたのはこの時が初めてだと、言っていいだろう。

それまでも、沢山、歌を聞いてきたに違いないのに、すべて雑音にしかすぎなかった。

ロシア人の少女があまり上手くない日本語で唄った『別れのブルース』、眩暈(めまい)のようなあの時の感動は今なお鮮烈にのこっている。

だが、それだからといって歌が好きになった訳ではない。少年時代の『禁じられた遊び』のテーマを口ずさみつつ、どこまでも青い瞳のロシアの少女を思い出して、甘い感傷にひたるのが精一杯と言っていいだろう。

ロシアの少女の『別れのブルース』を聞いた翌年、家族は日本へ引き揚げた。

その引き揚げ船の上で、日本人の船員が唄ってくれた歌がある。

赤いリンゴに　くちびる寄せて
だまって見ている　青い空

船員は言った。

「死のうなんて考えちゃいけないよ。勇気を出しなさい。日本では今、こんな歌を唄って、みんな頑張っているんだよ」

リンゴは何にも　いわないけれど
リンゴの気持ちは　よくわかる
リンゴ可愛いや　可愛いやリンゴ

『リンゴの唄』
サトウハチロー・作詩
万城目正・作曲

今なお生きているところをみると、この歌で少しは勇気づけられたのかもしれないが、ぼくはこの歌が好きになれなかった。この歌の明るさが気味悪かった。

まだ、ぼくたちのように戦争のつづきの中にいて、暗い玄界灘を引揚船でさまよっている同胞がいるというのに、こんな歌をみんなで唄っているような国が自分の祖国なのか。その国へむかって、船は進んでいるのか。いやだ。

遠い昔のことなので、あまり詳しく書くとウソっぽくなるのでやめにするが、幼いながらもぼくは、この歌を唄ってくれた日本人船員の顔を見上げて、そのキラキラと輝く瞳を横目に見て、船酔いから来る吐き気かもしれないが、とにかく嘔吐らしきものをこらえていたような気がする。

それっきり、歌にまつわる思い出はとぎれてしまう。

いや、たった一人、涙の出そうな思いにひたらせてくれた歌手がいた。

美空ひばり。小学生の頃、街角に流れる彼女の歌を聞いて、もうこれ以上歩けないような、そこにしゃがみこんでしまいたいような、ワァワァ声を上げて泣きたいような気持ちになったことがある。

『悲しき口笛』『私は街の子』『東京キッド』『越後獅子の唄』――なんで、あんなに悲しかったのだろう。

美空ひばりの歌には、子供心さえもかきみだす、不思議な悲しみがあった。

色んな歌を仲間たちと唄ったような気もするし、全然、そんなことはなかったような気もする。なにしろ、ぼんやりと生きていたのだ。

昭和三十二年頃、自粛営業と称して、ひっそりと商売している新宿の青線地帯に夜毎通いながら、口ずさんでいた歌はなんだったっけ。多分、石原裕次郎の『錆びたナイフ』だったにちがいない。

砂山の砂を　指で掘ってたら

真赤に錆びた　ジャックナイフが出て来たよ
どこのどいつが埋めたか

萩原四朗・作詩
上原賢六・作曲

荒れすさんだ青春の自嘲の歌。それはもう、唄うというより唄うことによって一層自分自身を傷つけていたとしか言いようのないものだった。歌はなんでもよかったのだ。ただ、道に吐き出せばよかったのだ。ツバだ。痰だ。

なんと少ない、歌とのつきあいなのだろうと、今更のように自分でも思う。

その後、作詩家になるかならぬ頃に、衝撃的な『かなりや』を聞いたことがあるが、それについてはあとで書こうと思う。

とにかく、歌にまつわる思い出は少ない。こんな男がなんで作詩家になったのだろう。

今日も歌を書き、明日もまた……。

と西条八十を気取るつもりは毛頭ないが、事実はそれに似たようなものなのだ。

全く、変な話じゃありませんか。

モンマルトルの　アパルトマンの
窓辺に開く　リラの花よ
愛の部屋で

ぼくはいつも
絵を描いてた
いとしい人　君をモデルに
愛しあった　君とぼくの
二十歳の頃

ラ・ボエーム　ラ・ボエーム
幸せの夢よ
ラ・ボエーム　ラ・ボエーム
根のない草花

雨は小止みなく降りつづいていた。

下宿の四畳半の縁側の戸を開け放って、万年布団に寝そべりながら、ぼくと武富義夫（のちに㈱日本ユニ・エージェンシーの社長になった）は、庭石にしぶきをあげる雨をみつめていた。

「俺たち、いったい、どうなるんだろう」

武富は雨水のゆくえを追いながら、ポツリと言った。

「このまま、大学を出て、ばらばらになって、再び、笑いながら逢うなんてことができるのだろうか。日に日に夢は削られ、カドをとられて生きてゆくうちに、古い友人に逢うのが、恥ずかしくなるのではないだろうか」

武富義夫は立教大学英文科に籍を置く文学青年、納得のゆく卒業論文が書けなかったといって、一年卒業をのばした男だ。九州は佐賀の出身、南国的秀才というべきか、実に明快なる頭脳の持ち主なのだ。

満洲で生まれ、北海道、青森と育ったぼくは、どちらかといえば北国的。気質の違いのようなところが友情の絆になっていたのかもしれない。

自分たちの仲間は、いったいどうやって生きていくのだろう。

「笑いながら逢うなんて、そんな幸運な話が、俺たちの将来に待っているのかな?」

武富は、懐疑的につぶやいた。

「世の中って、そんな甘いもんじゃないかもしれないな」

ぼくはそう返事をし、つづけて言った。

「何年かたって、お前の家に遊びにいったら、お前なんか、変に分別くさい顔になっていて、そろそろ落ちつけよ、なんて説教するんじゃないだろうな」

「バカヤロウ、俺は絶対、筆で立つんだ。こうやってな」

武富は鉛筆を手に持って、そのまま逆立ちするような真似をした。

うつろげな笑いが、四畳半の障子をふるわせた。

やはり、翻訳とか雑文を書き、家庭教師などをやって生活の足しにしている武富も、ぼくと同じく、いつの日、仕事らしい仕事ができるのか皆目わからない状態だった。

「ところで、腹へったな。将来のことはともかくとして、今日のところは、何はともあれ、何か腹に入れないことには」

図体の大きい武富は人一倍腹がへるらしく、そのお腹をわざと両手でこすってみせる。

「うん、たしかにへったな。動くとなおさらへるぞ、じっとしていろよ。こうして天井を向いてな」

ぼくも、さきほどから腹の虫が鳴きわめいているのをなだめすかしていたのだった。

「おい、なんとかしてくれ。金をつくってきてくれよ」

「集金の当てはないね」

「何か注文はきてないか」

「注文ならあるけど」

「じゃ、そいつを一発やっつけて金をこしらえてきてくれ」

「いいのかい？　歌だぜ。お前さん、俺の顔見るたびに歌など書くのはよせって言ってるんじゃなかったのか？　あんまりお前がうるさいから、本当にやめようと思ってるんだ」

ぼくは、いかにも真剣な表情で、空腹にしかめた武富の顔をのぞき込む。

「このさい許す。歌書け、歌書け、めしのためなら、筆をよごしてよしとしよう」

「オーバーなこと言うなよ。じゃ、ちょっと待てよな」

ぼくは起きあがり、武富の机にむかう。

この下宿は武富の部屋で、学生結婚をしていて、しかもその女と別れるために家を出ているぼくは、行き場もなくここ板橋の彼の下宿にもぐり込んだというわけだから、ぼくの机なんかあるはずなかった。

「おい、まだか?」

「まだ一分もたっていないじゃないか」

「早くしてくれ」

「……」

ぼくは、自分の腹の虫にも、静かにしろとささやきつつ、訳詩に取りかかった。

空いた腹を　かかえながら
虹のおとずれ　夢みていた
仲間たちと　キャフェの隅で
ボードレェルや
ヴェルレェヌの
詩を読んでいた
希みにあふれた　君とぼくの
二十歳の頃

ラ・ボェーム　ラ・ボェーム

心ひとつで
ラ・ボェーム　ラ・ボェーム
夢みる　さすらい

君の胸や　腰の線を
描いては消して　夜を明かし
朝になると　コーヒーなど
飲んで語り
夢を見たよ
愛の眠りの
愛しあえば　感じないさ
冬の寒さ

ラ・ボェーム　ラ・ボェーム
青春の歌よ
ラ・ボェーム　ラ・ボェーム
はかなく美わし

「じゃあ、ひとっ走り行ってくらあ」

ぼくはトレンチコートをはおって、下宿を出る。

雨は、いっそう激しく降りつづいている。

板橋駅へ駆け込んで、電車に乗って池袋、地下鉄に乗りかえ、銀座へ。

たった今、書いたばかりの歌の原稿を胸のポケットに入れて、雨の銀座通りを小走りに急ぐ。

早くしないと、みんな帰ってしまうからだ。

シャンソン喫茶「銀巴里」の前へ来ると、立ちどまり、ぼくは呼吸をととのえる。そして、いかにもゆっくりとした足取りで地下室への階段を降りてゆく。


「どうしたの？　こんなに遅く」

金子由香利が、不思議そうな顔で問いかける。

なにしろ、ぼくは髪の毛もトレンチコートもずぶ濡れなのだ。

「ちょっと歌が聞きたくなって寄ったのさ」

ぼくは何くわぬ顔で嘘をつく。

ステージではまだ歌がつづけられている。

お客もいっぱいいる。外が雨なので腰が浮かないのかもしれない。

唄い終わったシャンソン歌手の仲マサコは、客席の右前方にあつらえた、控え室とも言えない控えの席で譜面を整理している。

「やせたみたいね。どうしてるの？　訳詩はやめちゃうし……」

「なんとか食ってるよ、翻訳の仕事もあるし、大学の先生の手伝いなんかやってね」

「あ、そう。でも、シャンソンやってほしいんだけどな。今ひとつ、とってもいい歌があるんだけど訳してくれる？」

「誰かに頼みなよ」

「というけど、なかなかいい人っていないものよ」

仲マサコはお世辞とも、本気ともつかないことを言う。

「たまにやるよ、気がむいたらね。でも以前（まえ）みたいに沢山やる気ないな」

ぼくは、まるで金に困っていないような口ぶりで言うのだった。

ステージの歌が終わって、木村正昭がこちらにむかってくる。

客席を抜けてきて、ぼくの顔を見たとたん、

「今日、お財布忘れてきちゃったの。此処へ着いた時気がついたんだけど、びっくりしちゃった。タクシー代、ひとに借りちゃったの」

「あ、そう」

困ったな。板橋の下宿では武富が空きっ腹をかかえて待っている。彼のしかめっ面が思い浮かんだ。それに、第一、帰る電車賃がないのだ。

もちろん、木村正昭が財布を忘れたなんてことは嘘にきまっている。金がないのだ。ぼくに対して予防線をはったにすぎないのだ。

それでも彼は、ニコニコと屈託なく笑っている。心の中はつらかろう。ぼくは、自分の心をそこに見る思いがした。

「ところで、こないだお願いした歌できた？」

金はないが、歌を頼んだことは忘れていないし、一日でも早く欲しいのだ。

「ああ、できたよ、持ってきたけど……」

ぼくも、この台詞を何くわぬ顔で言った。

「うれしいな。でも、どうしよう。ぼく、お財布を……」

「いいよ、この次で。別に今すぐでなくたって」

どういう訳か、ぼくも心にないことを口走る。

どうしよう、どうやって帰ろう。がっかりする武富の子供っぽい顔が目に浮かぶ。が、ぼくは、胸のポケットからさりげなく紙っきれを取り出して、木村正昭に渡してやった。

「今度いつ来てくれる？　ねえ、いつがいい？　来る日がわかったら、その時はかならず、お金持っているようにするから」

「わかんないよ、今度、また気が向いたら寄るよ」

互いに見栄を張ってゆずらない男たちの会話を横で聞いていた仲マサコは、二人の心中をすっかり読み取っていたのだろう、木村正昭の肩をたたくと、ポイとお札を二、三枚テーブルの上に置いて、

「木村さん、貸してあげる。ね、これで……」

「本当？　悪いみたい。じゃ、借りとく。明日返すからね」

木村正昭はそう言うと、ニッコリ笑って、お金をぼくに払ってくれた。

金を受け取ったら、すぐにも帰りたかったが、歌が聞きたくてぶらりと寄ったと言った手前、そうも行かなくて、ゆったりとした暇そうなポーズを作って、金子由香利の歌を聞いていた。

流れて流れて　過ぎゆく人生
指からこぼれて　消えゆくこの恋
『人生は過ぎゆく』

歌が終わった。「銀巴里」を出た。

雨はあがっていた。

急いで地下鉄へ。まっすぐ池袋。乗りかえて板橋。駅を出てすぐさま寿司屋へ飛び込んだ。

「へえ、いらっしゃい」

「兄哥さん、上のところを三人前ばかし折りに包んでくれ」

「ほいきた、お土産ですね」

「うん」

ぼくの腹はますます鳴った。テレビは深夜劇場がはじまったところだ。

「はい、お待ちどお！」

寿司折りを片手に、ぼくはまた小走りにかけていた。

金がなくなると歌を書く。こんなことをいつまでつづけてゆくんだろう。

自分にとって、歌とはいったいなんなのだろう。

ぼくは、しきりに考えていた。答えは何もうかばなかった。

空に半月が美しいだけだ。

「おい、武富」

武富は寝入っていた。

「武富、お待ちどお、帰ったぜ」

めざめた武富の目の前に、ぼくは寿司折りをぶらつかせた。

「かたじけない」

武富はガバッと起き上がると、折りを荒々しく開いて、しゃにむにパクつきはじめた。

或る日のこと　君とぼくの
愛の街角　訪ねてみた
リラも枯れて
アパルトマンの　影さえなく
歩きなれた　道も消えてた
若き日々の　靴の音は

聞こえなかった

ラ・ボェーム　ラ・ボェーム
帰らない夢よ
ラ・ボェーム　ラ・ボェーム
いちまつの夢よ

『ラ・ボェーム』


武富は寝床の上にあぐらをかいて、寿司をほおばり、二人前きれいにたいらげて、タバコに火をつけると天井にむかって大きく煙をはいた。

「あーあ、やっと人心地ついたぜ。お前が歌を書いていてくれてよかったなと思うのは、こんな時だなあ」

武富は、実に現実的なことを言った。

「歌をやめろ、歌をやめろ」の口癖も満腹になった時だけは一瞬忘れるらしい。

もちろん、ぼくだって、進んで書く気はなかったのだが、金がなくなり、腹もへると、つい書いてしまうのだ。その結果、何がしかの金が入ってくる。するとまた、冷静な顔になって難しい本を読み、難しい話に首をつっこむことができるのだが、そんなことをしているそばから腹がへってくる。また、歌を書く。

「俺、なんだか、歌をやめられそうにないな」

ぼくが真面目な声色で言うと、

「それは、どういう意味だ？」

と、武富は、ちょっと身をのり出す格好になった。

「どういう意味って、とにかく、この先、歌を書くだろうってことさ」

「手っ取り早いからか？　生きるために？」

「手っ取り早い？　冗談じゃない。そんなら、お前、書いてみろよ、結構むずかしいもんなんだ。くだらない文句を並べているけどね」

「歌なんて、所詮、遊びじゃないか、遊びながら生きようってのかい？」

「遊びも並み大抵じゃござんせんよ」

「だけどお前、勿体ないよ、大学でこんなに一生懸命勉強した男がだよ、歌の文句を書くなんてつまらんよ」

いつものことながら、武富は口をすっぱくして説得これつとめるのだった。

「俺、歌書きの才能あるみたいだぜ」

ぼくが、やや冗談めかして言うと、

「あるかもしれんな、残念ながら」

と、武富は憮然として言った。

「人間は才能にひきずられるって言うからな。ひょっとすると、お前、そいつにひきずられているかもしれない」

「歌書きの才能ねえ。ところで武富、歌を書くのに才能なんて要るのかね」

「ちげえねえ」

二人はゲラゲラと笑い出した。

「おい武富飲みに行こうか」

「金あるか？」

「ある。雨もあがったことだしよ」

武富は、腹の満ち足りた笑顔をうかべて洋服を着がえはじめた。

流されて

思えば、随分と永い間、歌を書いている。書くまい書くまいと避けるようにしながらも、ついつい書いてしまう。

そもそもの始まりは、いつの頃だったろうか。

なにしろ、ぼくは歌なんてちっとも好きじゃなかった。

街に流れる歌に興味も湧かなかったし、自分で唄うことも全くなかった。

音楽は好きだった。それもクラシック音楽に限られていた。あとのものは耳に入らなかった。バッハ、モーツァルト、ベートーベン、ブラームス、シューベルト、ショパン、マーラー、バルトーク……。

九段高校時代、ふと、まわりを見ると、同じクラスに幸松肇という男がいて、これがまた天才的なクラシック通だった。ヴァイオリンは弾くし指揮までできた（のちに東芝レコードの洋楽部勤務となる）。音楽への興味はみるみるふくらんでいった。

ぼくが入った柔道部には中山堅太郎（のちに電通ラテ局勤務）そして武田明倫（のちに武蔵野音楽大学教授になった）という一年先輩のクラシックファンがいて、この二人に日々しごかれた。柔道ではなくクラシックをだ。

柔道部の練習が終わると、靖国神社を右に見やりつつ夕焼けの九段坂を下って、神田神保町の「らんぶる」という名曲喫茶に毎日のように通った。

その店にあるレコードの全てを聴こうというのが目的だった。全てを聴き終えるとほかの名曲喫茶を訪ねて、大井町とか、高田馬場、渋谷、池袋と遠征したものだった。

ところが、高校卒業の頃、中山堅太郎が思いがけないことを言った。

「お前、シャンソン聞いたことがあるか？」

「シャンソンて、フランスの流行歌だろう？」

「ああ」

「『枯葉』とか、『ラ・メール』とか？」

「ま、そういったところだが、そんなもんじゃないんだ。こいつがいいんだよ、シャンソン。ま、だまされたつもりで聞いてみなよ」

中山堅太郎も、シャンソンの素晴らしさを発見したのはつい最近らしく、シャンソンという言葉を発する度に瞳をかがやかせた。

彼はかつて、同じような熱っぽさで、ぼくにクラシックを聞くことをすすめたものだった。

ぼくは、クラシックに寝ても醒めてもうなされているような時期だったから、それほど興味も湧かなかったが、とにかく、つきあってみようということになって、お茶の水駅前のシャンソン喫茶「ジロー」に入った。

思えばあの時が、歌という悪女にとりつかれたそもそものキッカケだったのかもしれない。クラシックの喫茶店通いに加えて、シャンソン喫茶通い、たちまち小遣い銭に窮してきた。

そんな時だった。ふらりと「ジロー」に入ってゆくと、「いらっしゃいませ」という声が、どこかで聞いたことのあるような気がした。

見ると、中山堅太郎が立っている。

蝶ネクタイを結んだボーイのスタイルでぼくにウインクしてみせた。

「どうしたの？」

「アルバイト。金がなくなったからさ」

「へえ、ボーイって、そんなに金になるのかい？」

「大した金にゃならないけど、銭もらって、シャンソン聞けりゃあ一石二鳥だ。ムダにはしないよ」

「なるほどね、俺もやらしてくれよ。ね、頼んでくれないか」

ぼくもその日からボーイになった。

月末にもらう給料はわずかなものだった。

だが、ドアボーイをやりながらも、コーヒーを運びながらも、耳はいつも店内に流れるシャンソンを聞いていた。そして、店が終わると、自分の聞きたいレコードをひっぱり出して、くりかえしくりかえし聞くのが楽しみだった。

レオ・フェレ、ジャック・ブレル、シャルル・アズナブール、エディット・ピアフ、ジュリエット・グレコ、ジョルジュ・ブラッサンス……。

日本で三番目のシャンソンライブラリィと言われる、その店のレコードのほとんどを聞いた。

日曜日になるとシャンソンの夕べというのがあって、若いシャンソン歌手が日本語でシャンソンを唄った。

日本語でシャンソンを唄うっていうことも珍しいものだったが、その歌詩を聞きながら、原詩を知っているぼくは妙に納得のいかない気分を味わうことが多かった。また、ほかにもっと素晴らしいシャンソンがあるのに、どうして唄わないのだろうという疑問もあった。

そんなことからだ。夜になると、自分の好きなシャンソンをメロディにあわせてひとつふたつと日本語に訳してみるようになった。

そのうち注文が来るようになった。よろこんで応じた。もらったお礼は五百円。頼む方も頼まれる方も貧しい若者同士だったから、五百円は大金だった。

それが二十歳の頃。

初めて、肉体労働でないアルバイトに出逢ったぼくは、毎日のようにシャンソンを訳していった。

その金で、大学の学資をはらい、学生結婚をし、どうにかこうにか食いつなぐこともやってみせた。

深緑夏代、芦野宏、二葉あき子、岸洋子など名のあるシャンソン歌手からもオーダーが来るようになった。

昭和三十七年には、芦野宏が、ぼくの訳詩でレコード（『チャオ・ベラ』）を出しているし、そのほかにも二、三枚のレコードは発売されていた。

それでも、ぼくは歌を書きつづけようとは思わなかった。いや、逆に、やめることばかりを考えていた。

学生時代も終わりの頃だ。新宿の厚生年金大ホールで『なかにし礼訳詩リサイタル・太陽の賛歌』などというものをやった。これを最後にシャンソンと訣別するつもりだった。

お客もいっぱい入り、芦野宏や深緑夏代が唄ってくれた。

俺は勉強するんだ。だから、歌とはおさらばだ。

ぼくはたしかに決心したはずなのだ。

だが、余韻はいつまでも尾を引いている。

「武富、俺、やっぱり、思い切り歌を書いてみるよ」

ムッツリと酒を飲んでいる二人のうち、ぼくが沈黙を破った。

「なんだい、さっきからそんなこと考えていたのか？」

トリスバァの店内には、マヒナスターズの歌が流れている。

「しかし、お前、それじゃ、約束がちがうんじゃないのか？　リサイタルをやったらやめるって言ったのは誰だ？」

「俺だ。リサイタルもやった。しかし、あれはシャンソンの訳詩リサイタルだろう？」

「それでいいじゃないか。ほかに何があるんだい？」

「流行歌」

「何？　流行歌？　お前、本気で言ってるのか？」

「ああ」

ぼくは宙を見て肯いた。

武富は頭をかかえこんだ。

「本気かよ。助けてくれよ。あの、雨だの、涙だの、夜霧だのってやつを書くのだけはやめてくれよ」

「どうなるか、やってみなければわからないね」

「あーあ、お前がそんなに深みにはまり込んでいるんだったら、俺が何を言ってもムダみたいだな」

「そう見捨てたようなことを言うなよ。やってみたところで書けるかどうかわかんないじゃないか。とにかく、シャンソンの訳詩は八百曲やって、リサイタルをやって約束通りやめた。今度は違うんだ。俺の心の中に、歌で表現したいことがいっぱいあるんだ」

「歌で？　歌でなくたっていいじゃないか。小説だっていい、お前の得意な絵だっていいじゃないか」

「ちがうんだよ、歌でなくっちゃダメなんだ。絵でも写真でも、評論でもダメなんだ。小説とも違うんだ」

「クソッ、悪酔いしてきたぜ」

「訳詩なんぞというものをやって、チビリチビリと火をつけられているうちに、俺の心はあっちこっち小さなやけどだらけになっちまったんだよ。ここらで思い切り火をつけて、ボオーッと燃やしてしまいたいんだ。

　そう何年もやろうってつもりはない。とにかく、時間をくれ。書くだけ書いたらさっぱりするかもしれない。とにかく今のままじゃいけないと思う。家庭教師をやり、翻訳をやり、放送原稿を書いたりして、未来の教授を夢みているが、少し困るとすぐ歌を書いてみせる。すぐ書ける、金になる。そのくせ、俺はこんな歌を書く人間じゃないって面をしてみせる。いけないことだ。むずかしいことをやろうと、下品なことをやろうと、俺がやっていることにかわりはないんだ。ひょっとすると、俺は下品な部類かもしれないじゃないか。上品コンプレックスはやめにして、徹底的にやってみようと思うんだ。やれ文学だ、芸術だのという逃げ場のないところで、歌を書いてみたいんだ」

「そんなら、歌をやめればいいじゃないか。そうすりゃあ、逃げ場もクソもない」

「だから言ったろう。今、俺の心の中には歌がいっぱいあるって……」

「クソ！　勝手にしろ！」

「そう怒るなよ。そのかわり俺の分も勉強してくれよ」

「貴様、逃げる気だな」

「冗談じゃない。出城で戦うつもりだよ」

「だがな、提案がある。お前が歌を書くのなら、しばらく逢うのはよそう。俺みたいにやめろやめろって言う奴がそばにいたんじゃ、身が入らんだろう」

「お互いさま、俺みたいな三文詩人が横にいたんじゃ思索の邪魔になっていかんだろう」

「バカヤロー、そうじゃない。いいか、歌を書くってことは実に虚しいことなんだ。とにかく、虚しいことなんだ。バカバカしいことなんだ。だからな、お前、くだらない仕事は、よりいっそう見事にやってくれ」

「ヴァレリイいわく、無益なことをやる場合は、素晴らしくやること。さもなければ、かかずらわないこと、か」

「じゃ、ここでひとつ約束しよう。三十までやってダメだったらやめる」

「ダメとは？」

「とにかく大ヒットが出なかったらやめろ」

「お前は、よっぽど俺に歌をやめさせたいらしいな。まだとめるのか」

「ああ、永久に言いつづけてやる。俺みたいな歌のきらいな奴でも唄いたくなるような、聞きたくなるような歌を書いてくれ。そういう歌を書くのなら、心おきなくやらしてやろう」

「まあ、やってみるさ」

「今夜は最後の晩餐だ。ところで、金あるか？」

「いやだろうけど、歌でかせいだ金はまだある」

金糸雀のうた

こんな風に、物語めかして書いてみると、なんとなく、明日に希望のありそうな感じになってしまう。しかし、現実のぼくはめちゃくちゃだった。

武富と訣別した時のぼくはもう、立教大学の仏文科を卒業していたが、学生結婚をした一人の女と別れるために四苦八苦していた。

しかも、大学も、もうじき終わりという年の瀬に、自分でも信じられないことだが、心臓発作を起こし、心筋梗塞という病気で入院したりした。

病気のことを口にするのはどうにもイヤなことなのだが、ぼくが歌を書こうと思ったことと、どうしても無関係とは思えないふしがあるので、ちょっと触れたいと思う。

この病気とはいまだにおつきあいしていて、薬のやっかいになり、ご丁寧にもニトログリセリンまで持って歩いている状態だが、こう長いつきあいになると、お互いにアウンの呼吸とでも言おうか、病気の方でも突然の来訪は遠慮して必ず前もって報らせてくれるし、そうなればそうなったで、こちらも永年の経験で、上手い具合に発作の訪れを回避する、といった風に、もう今では、こいつがいなくなったら淋しいのではないかと思われるくらいに慣れ親しんでいるといっていいだろう。

しかし、若い頃、これから、なんとかして自分の夢を叶えたいと思っていた矢先に、この病気に見舞われた時は、かなりの衝撃だった。うろたえた。

その頃は浅草に住んでいたのだが、下町の庶民的な人づきあいと、空気の悪さがいやになって、目黒の碑文谷（ひもんや）に引っ越した。

目黒に住んでも一向によくならなかった。

五十メートル歩いては立ち止まり、百メートル歩いては、当時、道端にあったコンクリート造りのゴミ箱にしばらく坐って、休まないではいられないような状態だった。

「お前は意志が弱いのだ。弱いから心臓発作なんか起こすんだ」

と、裕ちゃんによく叱られた。

なるほどそんなものかと思ってはみたけれど、こればっかりはどうにもならなかった。

突然、石原裕次郎が出てきたけれど、この人のことを書かずに先へ進んではいけないような気がする。

二十五の年、普通ならみんな大学を卒業している年齢なのだが、ぼくは出たり入ったりグズグズやっていたのでまだ学生、そんな男が恐れも知らず結婚した。そして、ほんのわずかの資金で伊豆の下田東急ホテルに新婚旅行に行った。

食後、ホールで遊んでいると、遠くの方で手招きする人がいる。カウンターで飲んでいる石原裕次郎がぼくたちを呼んでるみたいだった。『太平洋ひとりぼっち』のロケに来ていたことは知っていたが、天下の大スターに面識はなかったから、キョトンとした気分で、裕ちゃんの方へ近づいていった。

裕ちゃんは、自分の会社の人間と酒を飲んでいた様子だったが、なんの前ぶれもなしに、ぼくの大ジョッキにビールを満たしてくれて、さあ、乾杯だ、飲めと言う。

その理由がふるっていた。

ロケを終えて、カウンターで酒を飲みつつ、退屈しのぎにホテルの中をウロウロしている新婚さん達の品さだめをやっていたんだが、どうにも見られる代物（？）がいない。お前さんたちカップルが今夜のコンクールの優勝だ、といった調子なのだ。

思いがけぬ楽しい出来事だった。ぼくたち夫婦はカウンターに並んで、裕ちゃんと飲んだ。

「お前さん、何やって食ってんだい？」

と裕ちゃんがきいた。

「ぼくですか？　シャンソンの訳詩やって食ってます」

「シャンソン？　あの、枯葉よおって奴かい？　あんなもんで食えるのかい？」

「まあ、なんとか」

「やめろやめろ。やめて、歌を書け。流行歌書いたらいいじゃないか。俺の歌を書けるぐらいになってみろ」

裕ちゃんはそう言って、グビリとビールを飲む。ぼくは、生意気ざかりの若者特有のニヤニヤ笑いをうかべて、返事もしないでいた。

「何か書いたら持ってきな。俺が売ってやる」

この最後のひとことは話のはずみで、つい口がすべったのかもしれないが、後になって、裕ちゃんはその約束を守ることになる。


その裕ちゃんに、お前は意志が弱いんだと言われて戸惑ったが、病気はよくなったり、悪くなったりのくりかえしだった。

病気からも逃れたかったし、女からも逃れたかった。

あの頃のことは今思い出しても、何もかも鮮やかなのだが、すべてが鮮明であるということは、どれもこれもが大事そうに見えて、複雑すぎてポイントがさだまらない。かえって上手く言えない感じなのだが、十九の年で家出して、野良犬のようにのたうちまわって生きてきたこのぼくも、今更のように、死ぬことがこわかったような気がする。死を恐れる理由なんぞ、あるはずもないのだが……。

死ぬ前に、何かしなければならない。何って、いったい何を？　できそうなことは？　さしあたって、歌か？　歌しかないのか？

生きたいと願うほどの夢もなくなってしまった。ただ死を恐れて、死から一目散に逃げだして、その逃げだす時のエネルギーで何かをやってみたい。

ただただ前を向いて走る。一心不乱に走る。速く、速く、もっと速く、できるだけ速く。

助けてくれえと声を上げて、両手を前につき出して、前のめりになって、駆けだすことしかできなかったのだ。

帆のない小舟

星のない　暗い海に
船出した　帆のない小舟
あてもなく　波間にゆれて
悲しみの歌のままにまに
ゆらあり　ゆらゆら　ゆらり
ゆらあり　ゆらゆら　ゆらり

ある時は　嵐に泣いて
友を呼ぶ　帆のない小舟
傷つきさまよい疲れて
悲しみの歌のままにまに
ゆらあり　ゆらゆら　ゆらり
ゆらあり　ゆらゆら　ゆらり

この世のほかの世界を
夢にみる　帆のない小舟
いくたびも　希み破れて
悲しみの歌のままにままに
ゆらあり　ゆらゆら　ゆらり
ゆらあり　ゆらゆら　ゆらり

運命(さだめ)なら　行くも帰るも
ままならぬ　帆のない小舟
この旅路　終る時まで
悲しみの歌のままにままに
ゆらあり　ゆらゆら　ゆらり
ゆらあり　ゆらゆら　ゆらり

なかにし礼・作詩作曲

裕ちゃんに、似合いのカップルと言われた男と女は、日に日に別離にむかって進んでいた。無論、この別れは、支離滅裂になっている男が一方的に舵(かじ)をとったものであって、決して女が希んだものではない。

そんな或る日、ぼくは不思議な出来事に出逢った。

あまりに、上手くできすぎている話は、眉につばをつけながら聞けと言う。要注意というわけだ。しかし、本当だったのだから仕方がない。

その時のことを以前に書いた文章から引用させていただく。


もういつの頃だったか忘れてしまった。人間が忘れっぽいということは、神様がくれたたった一つの美徳のようだ。

私は妻を愛していた。愛する女とともに、子をつくり、子を育て、つつましやかな家を持ち、静かで平和な暮らしをしたいと、心から思っていた。私にも人なみな夢はあったのだ。こんな人なみな夢が私に現実を忘れさせ、また現実と闘わせてくれたのだろうと思うが、青白い文学青年が青春の夢と毎日の生活を両立させうるほど、現実は生やさしいものではなかったのだ。

それでも、私たちは小さな家を借りた。貧しいながらも幸福に暮らしていた。すり切れたバッハを聴きながら、詩を読み、小説を語り、夜明けまで語りあうこともたびたびだった。みずみずしい妻の裸体をモデルにして、朝の光の中で絵を描いたこともあった。肩や腰の線を描いては消して、描きつづけては疲れはてて、妻のいれてくれたコーヒーをのみ、パンをかじり、ほとばしる情熱にたまりかねて、くちづけを交わしてふざけあい、そのまま抱きあい、愛しあって夜になることもあった。そうやって生きてゆけたら、どんなによいかわからない。だが、現実の襲撃は間断なくつづき、私もそれにむかって銃をとり、戦いに出ていかなければならなくなってきたのだ。私は生きる術(すべ)を身につけて生きる知恵をおぼえはじめてきた。殺されそうになると、相手を殺す力も持ちはじめてきた。そして、私の心は日に日に貧しくなっていった。

その頃、私たちは目黒の碑文谷あたりに住んでいた。

ある日、わが家へ帰ってみると、ガランとして人の気配がなかった。私は妻の帰りを待った。明け方近くなって、われ知らず浅い眠りからさめてみると、静寂な空気のむこうから、よく聞きなれた妻の笑い声がつたわってくるみたいだった。

気のせいかなとは思ってはみたが、外に出て、声の方へ目をやると、たしかに、妻が歩いてくる。薄明の夜明けの道を、男の腕に抱かれながら、楽しげに、私にはこの何か月間も見せたことのないような微笑を浮かべながら歩いてくる。

一緒にいる男は？

私の友人の文学青年、かつて、初心を忘れて文学をおろそかにし、生活のために歌を書いているお前は不純だ、と言って、私に絶交を告げた男だった。

私にはすべてがわかった。が、二人の前に姿を見せる勇気はなかなか湧いてこなかった。

私は朝霧の中で、わなわなと震えていた。二人の足音は次第に近づいてくる。笑い声がすぐそばに聞こえる。

発見された時の、己のみじめな姿を一瞬思い浮かべた私は、一歩早く、二人の前に飛び出した。

「楽しかったかい？」

私には、これだけのことを言うのが精一杯だった。なんら悪びれることなく、私の前に並んで立っている二人は、

「昨日の夕方から、ずっとお話ししながら散歩していたの」

「夜通し？」

「そうよ！」

妻は私を見おろすような顔をした。

あなたのような汚れた人にはわからない、といった意味が含まれていた。そして、

「私、純粋な人間が好きなの」

と補足までした。

妻の横にいる男は、自信ありげに胸をはり、人間失格者を見るような眼で私を見た。私は言葉を失って空を見た。

夜明けの空には烏が一羽、大きな円を描いて、鳴きながら舞っていた。私はふらりと二人の前から姿を消した。私の足は何げなく公園にむかった。

冬の公園は花もすっかり枯れ果て、針葉樹だけが緑をとどめ、灰色の枯木が目について寒々しい。私は身の置きどころのない気持ちで、公園の霜を踏んでいた。

が、その時、私は奇妙な光景を見た。

霜のおりたあとの濡れたベンチに、一人の少女が坐っているのだ。ギターをかかえて、低い声で唄っているらしかった。

私は悪いことでもするかのように、静かにそばへ寄っていった。ポロンポロンと鳴るたどたどしいギターの音に混じって、少女の唄が聞こえてくる。私は耳を澄ました。

唄を忘れた金糸雀は
後の山に棄てましょか
いえ　いえ　それはなりませぬ

私は冬の朝の寒さの中で、水を浴びせられたような悪寒を感じた。私はあたりを見渡した。濁っていて底の見えない池と、葉のない樹々と、花の枯れた花壇だけがあった。

春はまだまだ遠かったのだ。だが、少女はやめようとしなかった。左手の指で弦をおさえて、右手でポロロンと和音を鳴らしながら、ほとんど節のない歌をつぶやいている。

唄を忘れた金糸雀は
背戸の小藪に埋けましょか
いえ　いえ　それはなりませぬ

私もいつしか、とぎれとぎれに唄っていた。少女にあわせて唄っていた。

すると突然、少女の声はぴたりとやんだ。その時初めて、私の存在を知ったかのように息をのんだ。少女は私がそばにいるのを本当に知らなかったのだ。

少女は眼がよく見えなかった。

あの時ほど、心にしんしんと沁みわたる歌を聞いたことはない。あの時ほどに、歌を聞いて感動し、そして、勇気づけられたことはなかった。

妻は去った。訳詩も、放送原稿もやめ、大学院へ進む志も捨てて、歌だけを書く私の生活が、この時からはじまった。

唄を忘れた金糸雀は
象牙の船に銀の櫂
月夜の海に浮かべれば
忘れた唄をおもいだす

『かなりや』
西条八十・作詩
成田為三・作曲
（「私感西条八十」「中央公論」）

夢のあとさき

冬の朝、盲目の少女が唄った『かなりや』はたしかに衝撃的だった。だが、ぼくが歌を書くようになった理由には様々のものがあって、どれが一番、強力な直接的理由なのか、今ではもうわからない。どれもがそうのような気がするし、ひょっとすると、どれもが違うような気もする。

現実の方はめまぐるしく転回していった。

流行歌を書くことを決心したぼくは、生まれて初めて、レコードになることを願って、歌を作った。詩はできたが、作曲してくれる人がいなかった。作曲家なんて、誰も知らなかった。

ぼくはギターを買ってきて、朝から晩まで教則本とにらめっこしつつ、コードをおぼえた。夜になったら、簡単なコードでハワイアンぐらいならひける程度になっていた。風呂に入ったら、左手の指先にお湯がしみた。

そして、翌日、自分の作った詩に曲をつけた。

いいかげんなものだと思わないでいただきたい。こうしか方法がなかったのだ。

できたてのほやほやの歌を、石原プロモーションに訪ねて、裕ちゃんに託した。

裕ちゃんは、約束を果たしてくれた。

当時、石原プロにいた裕圭子とロス・インディオスというグループがレコーディングしたのだ。その歌は、田代美代子とマヒナスターズもレコーディングした。ぼくが書いた初めての歌謡曲は、そのまま初めてのヒット賞（昭和四十一年）になった。幸運なことだ。その歌は『涙と雨にぬれて』という歌だった。

涙と雨にぬれて

涙と雨にぬれて
泣いて別れた二人

肩をふるわせ君は
雨の夜道に消えた

二人は雨の中で
あついくちづけかわし
ぬれた体をかたく
抱きしめあっていたね

訳も言わずに君は
さようならと言った
訳も知らずにぼくは
うしろ姿を見てた

恋のよろこび消えて
悲しみだけが残る
男泣きしてぼくは
涙と雨にぬれた

なかにし礼・作詩作曲

知りたくないの

あなたの過去など
知りたくないの
済んでしまったことは
仕方ないじゃないの

あの人のことは
忘れてほしい
たとえこの私が
きいても言わないで

あなたの愛が真実(まこと)なら
ただそれだけで
うれしいの

ああ　愛しているから
知りたくないの
早く昔の恋を
忘れてほしいの

なかにし礼・訳詩
ドン・ロバートソン・作曲

『涙と雨にぬれて』をレコーディングする一年ほど前に『知りたくないの』という歌をすでにレコーディングしていた。

シャンソンを沢山訳詩していると、その中にはレコードになるのもある。そのレコーディングには一度も行ったことがなかったし、レコードになることもさしてうれしいことに思っていなかったが、突然、或る日、ポリドールレコードの藤原慶子というディレクターから電話があった。

「あら、あなた、男の人だったの。私、女の人だとばかり思っていたわ」

というのが第一声だった。

ぼくが訳詩して、小林暁美という歌手がレコーディングしたシャンソン『ラ・マンマ』の日本語が気に入ったという。だから、今度、菅原洋一が吹き込む歌の詩を書けということだった。

それが『知りたくないの』。

売れるまで二年以上かかった。その間に、『涙と雨にぬれて』も、この藤原慶子・お慶さんがレコーディングしてくれたのだった。

そんな仕事上の進行をぬって、妻に子供が生まれる。即ち、ぼくの子供なのだが、ぼくは夢遊病者の如き状態で、自分の長女が誕生したなどというような実感もなく、生まれたばかりの子供も妻もほうりだして別れてしまう。その妻は、裕ちゃんの家に泊まり込んで夫人のマコちゃんにお世話をかけるわ、心臓の方は破裂するわ、その度に救急車で病院へ運び込まれるのだが、病院代がない。その金を、お慶さんから借りるやら、それでも足りなくて、どうしようかと思っていると、ぼくの歌書きとしての才能？　を先もの買いしてくれた芸映プロダクションの松尾幸彦・松っちゃんが金をもって駆けつけてくれる。

もう、何がなんだか、わけのわからない、とても自分のしでかしたこととは思えないような出来事の連続の中にいた。

あの頃はよく嘘を言ひき
平気にてよく嘘を言ひき
汗がいづるかな

という啄木の歌じゃないけれど、あの頃のことを思い出すと、汗ばんでしまう。

しかし、本当に、裕ちゃん、お慶さん、松っちゃんにはお世話になった。一生、頭があがらない。

君は心の妻だから

愛しながらも
運命に敗けて
別れたけれど
心はひとつ
ぼくの小指を
口にくわえて
涙ぐんでた君よ
ああ
今でも愛している
君は心の妻だから

めぐり逢えたら
はなしはしない
二人といない
やさしい人よ

君のうなじの
あのぬくもりが
忘れられない今日も
ああ
思えば涙が出る
君は心の妻だから

強く生きるよ
生きてることが
いつかは君に
幸せ運ぶ
ぼくにすがって
胸をたたいて
きっと泣くだろ君は
ああ
その日を夢見ている
君は心の妻だから

なかにし礼・作詩
鶴岡雅義・作曲

祭り

正月、電話が鳴った。

武富義夫からだった。

「いたか。お前、今いくつだ？」

「二十九だ」

「三十まで、あと一年だぜ、成果はあがったか？」

「去年、ヒット賞の一個はもらったんだぜ、それでも……。大して、売れなかったけど……」

「なんて歌だい？」

「『涙と雨にぬれて』ってやつさ」

「知らねえな」

「作詩作曲だ」

「作曲？」

「ああ、誰も作曲してくれるやつがいないから自分でやっちまったんだ」

「それでヒット賞か？」

「ああ、なんとかね」

「ところで、逢いたいな」

「来るか？」

「ああ、お袋がお前に着物つくって送ってきてくれたんだ。とどけるよ」

「着物？　本当か？　うれしいな」

武富がやって来た。彼のお袋が、眼鏡をくもらせつつ縫ってくれた紺紬の着物をたずさえて。

「元気かい、お袋さん？」

英文科の頃、武富の故郷、佐賀を訪ねた時、彼のお袋さんには大そう甘えたものだった。

「ああ、一向に年とらないよ」

武富は翻訳に専念し、もうじき翻訳書が出るという。

「ところで、今年いっぱいの約束だぞ、あとは許さんぞ」

武富はまた催促がましく言う。

「わかったよ。今年、作詩賞でも、レコード大賞でも取りゃあいいんだろう？」

「取れりゃあ、それにこしたことはない」

「じゃあ、取ってみせるよ」

「約束だぜ」

「死んでも取ってみせるよ」

「ところで、躰（からだ）の方はどうだい？」

「バカヤロー、今死ねるかい」

「それだけの元気があれば大丈夫だ」

二人が笑っているところへ、中山堅太郎がやって来た。

中山堅太郎は、紺の上下に身をつつんできりりとしている。彼は大広告会社「電通」の企画マンになっているのだ。

中山堅太郎は、土産に持ってきた一升瓶を上がり口に置いた。

彼らに逢うのは久しぶりだった。

この二人の前にいると、呼吸が楽になるのがよくわかる。

「ところで、手伝ってくれないか？　今年中に書く、歌のタイトルを書きだしてみたいんだ」

「どうするんだい？」

「なんでもいいから、口から出まかせに言ってほしいんだ」

「出まかせ？」

「出まかせ、でたらめ、なんでもいいんだ。キッカケにさえなればな。内容は自分の中にある。自ら出てくる。そして、自然に、そのでたらめがでたらめでなくなるのだ」

「へえ、そんなもんかね。門外漢にはわからねえや」

中山堅太郎は言って、首をすくめてみせた。

「門外漢がいいのだよ。お前さん方が、歌というと、いったい、どんなことをすぐ頭にうかべるかってことがわかればいいんだよ。口から出まかせに言ってくれ。こっちの連想が働く。それでいいのだ。ストーブには煙突が必要だ。さあ、言ってくれ！」

「タバコの煙はなぜ青い」

とまず、自分が吸ってるタバコの煙をみつめながら中山堅太郎が言った。

「出たとこ勝負」

と武富が叫んだ。

霧のかなたに、乙女の祈り、帰らざる海辺、私の胸をノックして、榛名湖の少女、愛のこころ、愛の芽ばえ、別れようぜ、恋の別れ道……

もっともっと沢山出た。彼らが言い、自分も思いついたタイトルをぼくはえんえんと書きつらねていった。書きながら……、
俺は一度死んだことがあるのだ。俺の人生は余生なのだ。一度死んだ肉体など、どんなに酷使したって音を上げようがないではないか。

見栄も外聞もあるものか。

書くぞ！　こんちきしょう！

と、多少キザなことを考えていたようだ。

そして、ぼくのやったことは『歌謡大全集』を買ってきて、端から端まで全部調べ、おぼえられるだけおぼえて、過去にあった歌のタイトルや文句を頭にたたきこむことだった。

かつてあった歌のタイトルを使わないために……。かつて、あった歌の文句を書かないために……。

奇跡というものはあるのだろうか。

歌の注文はさばききれないくらいに舞い込んできた。

書く歌、書く歌が飛ぶように売れてゆく。

町を歩けば聞こえてくる。パチンコ屋でも、麻雀屋でも、酒場でも、喫茶店のジュークボックスからも。

ぼくは、この現象をどうとらえたら良いものかわからなかったが、またたく間に一年が過ぎ去り、そして、昭和四十二年年末のレコード大賞。作詩賞は、ザ・ピーナッツの『恋のフーガ』と黛ジュンの『恋のハレルヤ』『霧のかなたに』でぼくに決まった。

ぼくはただ、呆然としていた。

賞をとって涙まで見せている人たちの中にあって、生まれて初めてスポットライトを浴びたぼくは、記者会見の席で、口では言えない、得体のしれないものによってつき上げられたような空恐ろしさを背中に感じていた。

ばったんばったん音をたてて、あっちへぶつかり、こっちにひっかかりと生きてきた自分の過去が目の前を通りすぎる。

それはあまりにも汚れていて、みじめで、みすぼったらしくて、貧しくて、ギラギラしていて、残酷で、しかも現実感が希薄で……。

自分が今いるこの晴れがましい場所や、この派手やかな自分の姿が自分にとって、どうしても不似合いに思えてしかたがなかった。

「来年の抱負は?」

「レコード大賞です」

厚かましいぼくの返答に、記者は一瞬いやな顔をした。

しかし、ぼくにしてみれば、そうしか答えようがなかったのだ。

『恋のハレルヤ』の最初の印税が入った。

百万円あった。

だが、お慶さんを始め、あっちこっちの借金返済で八十万円が消えた。借金を返すというのは実に気分のいいものだ。

武富に双子の姉妹が生まれた。そのお祝いに十万円奮発した。

「お前が歌を書いていてくれてよかった、と思うのはこんな時だなあ」

と武富はも一度、同じ台詞を吐いた。

残りの十万円は中山堅太郎と飲んでしまった。

きれいさっぱりなんにもなくなってしまった。

昭和四十三年年末のレコード大賞は『天使の誘惑』に決まった。

ぼくは自分のほっぺをつまんでみた。

「お前、もうやめてもいいだろう。満足したろう」

と武富は、相もかわらず言うのだった。

だが、ぼくはその時、どうやら作詩家になってしまっていたようだった。

そして、十三年たって、今。

ぼくは相もかわらず歌を書いている。

いつまでたっても上手くならないし、いつまでたっても楽にできるということもない。

誰かが書けと言う。ぼくは書くと言う。

さて、何を書いたら良いのかわからない。

ぼくは思い悩み、天井を眺めて夢遊病者の如くぼんやりしていたかと思うと、むっくりと起き上がり、今度は部屋の中を白熊の如くに行ったり来たりする始末。そのうち藁をもつかむような思いで、まだ読んでいない本などに手がゆき、ひょいとページをめくってみると、こいつが結構面白い。さし迫った問題もどこへやら、あっという間に四、五ページを読み進み、あげくの果ては本棚の前にあぐらをかいて、一心に読みふけっている自分を発見するといった具合だ。

おっと、こんなことをしている暇はなかったんだっけ、とつぶやいて本を投げ出し、再びゴロリと横になって天井を見上げる時には、われながらおかしくなって笑い出してしまう。

とても、見られたザマじゃねえや。

調子のよい時に偉そうなことは言わないものだ。言った分だけみっともない、と、自分をせせら笑う。

部屋の中を眺めまわす。

レコードもなければ、トロフィもない。なぜないかというと、みんな人にあげてしまうからだ。

一時は部屋じゅうギンギラするくらいにヒット賞とか、ゴールデンディスクなどがあった。レコードもとっておいた。

しかし、答えが出るのは早かった。

ちょっと時が流れると、歌は消えてゆく。歌が消えて、その亡骸（むくろ）のようなレコードだけが印刷の色もあせて残っていることの気持ち悪さ。

ヒット賞だって同じことだ。メッキがはげてくる、ネジはゆるんでくる。歌は消えてゆく。いかにも過去の栄光めいたボロボロのゴールデンディスクが、壁にかかっていることの情けなさ。

これ、どんな歌？　と人にきかれて、説明することのバカバカしさ。

歌は、空気中にただよっていれば良いのだ。

そう気がついたその日に、みんな手元から放してしまった。

「人間は、大芸術家であれば、それだけ、称号や勲章を欲するのは当然である。防壁として」

（スタンダール『恋愛論』第十四章）

という言葉がある。ぼくも賞はよろこんでもらう。だが、死んだ歌の墓場で暮らすのはゴメンだ。過去も未来もないようなところに、ぽつんと一人いて、天をあおいだり、のたうちまわったりすることが歌を書くことだ、と、いつの頃からか、ぼくはそう信じている。

気がついたら作詩家。

遊びをせんとや生まれけむ
戯れせんとや生まれけん

遊ぶ子供の声聞けば
わが身さへこそ動(ゆる)がるれ

『梁塵秘抄巻第二』

遊んでいる子供の声を聞いているうちに、ついつい躰が動きだし、一緒に遊んでしまったおっちょこちょいなのかもしれない。

第二章　歌は誰にだって書ける

作詩に王道はない

歌は誰にだって書ける。誰が書いても良い。当たり前の話なのだ。歌は、詩人や作詩家が尤もらしい顔つきをして、ひねり出すものとは決まっていない。学生がギターをつまびきながら書いても歌は歌だし、主婦が台所で書いたっていい歌はいい歌なのだ。

要は、いい歌であればいいのだ。

一番、始末の悪いのは、いい歌を書くべき場所にいる人がつまらない歌を書きまくって平気でいること。

だから、みんなで歌を書くべきなのだ。うんと書いて、安閑としている作詩家どもをおびやかしてやるといいのだ。

いつの時代でも、人々はいい歌に飢えている。いい歌が世に出てこないはずはない。

横井弘の『あざみの歌』だって、彼がサラリーマン時代になんの目的もなしに書いて、机のひき出しにしまっておいたものが、ふと誰かの目にとまり、「こりゃあ素晴らしい」ということになり、作曲され、そして唄われ、日本の名曲の一つになったのだ。

神様はやっぱり、いるのです。

作詩の方法がわからないと言う人がいる。

そんなもの、ぼくだってわからない。第一、作詩に理論があるなんて考えたこともない。あるとしたら、歌を書く人間の頭数だけあるのでしょう。ということは、ほとんどないことに等しい。

作詩に王道はないのです。

作詩に王道はない。

どんな道でもいい。曲がりくねっていようと、高速道路のようであろうと、山路のように嶮しかろうとかまわない。とにかく頂上にたどりつけば良いのだ。

歌とはこんなもの、とあらかじめ決めてかかることは、他人の足跡をなぞって歩くことになる。他人の歩幅は自分に合わないものだ。

たとえば、汽車の線路の枕木を伝って歩いたことがあるでしょう。みんな小さい頃、そんなことをして遊んだものだ。そんな時、何歩か歩いてゆくと、必ず枕木を踏みはずして砂利にガチャリと足をおとしてしまう。そんなものなのです。他人がおしつけた考えについていっても長つづきはしない。

どだい、最初から道はないのだ。迷路以上の迷路なのだ。

これが私の歌だ！　文句あるか！　そう叫ぶ人が、歌の世界に新しい一ページを開き、歌の方向を変えるのでしょう。

しかしまあ、恥じらいだけは忘れてもらいたくないが……。

一口に歌といっても、いささか広うござんしてね。クラシックの歌曲はある、オペラのアリアはある。民謡はある。端唄、俗曲はある。演歌もあれば浪花節もある。並べたらキリがない。なのに、大抵の人は歌というと、今、街に流れているヒット曲をすぐ頭に思いうかべる。不思議な話だと思う。

そんなに、今が大事ですかねえ。

今と言った瞬間、「今」ははるか彼方に、宇宙空間を飛んでゆく流星のように、遠ざかってゆくのです。

なぜ、新しい日本の民謡を書いてみたい、とか、新説清水の次郎長という浪曲を書いてみたいなんて考える人がないのだろう。

それが素晴らしくカッコいい時代が来るかもしれないじゃないですか。

今、今、今、とつぶやきながら、誰もが過去の人になってゆく。

古くても、いいものはいいのだし、新しくたって、くだらないものはくだらない。

いい歌は、こっちの思惑に関係なく伸び伸びと今なお空気中を漂っている。

歌そのものが幅広くてつかみきれないことも確かだが、人間の心だって絶えずゆれ動いていて、実に無責任なものだという証拠をお目にかけよう。
例えば、

遠州森の石松は
しらふのときはよいけれど
お酒飲んだら乱暴者よ
喧嘩早いが玉に瑕
バカは死ななきゃなおらない

浪曲『石松と小松村七五郎』

ねえ、いい文句だと思いませんか。

恋の手習つい見習いて
誰に見せようとて
紅鉄漿(べにかね)つけよぞ
みんな主への心中立て

長唄『京鹿子娘道成寺』

ラヴソングの文句なんて、みんなここからきてるんじゃないかと思えるくらいに、よくできた文句ですねえ。

そうかと思うとリポビタン、パンビタンなどと薬品の名前ばっかりを並べた歌がヒットする。誰が考えたかしらないが、面白いことを思いつく人もいるもんだと感心する心の一方で、

彼方(かなた)へざらり　此方(こなた)へざらり
ざらり〳〵ざっと
風の上げたる古簾(ふるすだれ)
つれづれもなき心面白や

謡曲『芦刈』より笠の段

日本語のリズムって、なんて美しいんだろうと考えるのは、極めて自然な心の動きだと思う。

はなは浮気でこぎ出す舟も
風が変われば命がけ

都々逸

粋な文句じゃありませんか。誰が書いたかわからないこれぐらいの文句に、手も足も出ないで、作詩家でございなんて、無論、自分も含めてチャンチャラおかしいのですよ。

六ツアエー　無理な親衆に使われて
十の指こから　血を流す

ヤァリァ　弥三郎エー　　津軽民謡『弥三郎節』

なんというリアリティだろう。とてもじゃないがかなわない。いやもう、ひたすらゴメンナサイです。

いかに新しいもの、今的なものを追い求めている人間でも、今、引用したいくつかの歌の文句に無感動でいるわけにはいかないだろう。自分自身がすでにゆれ動いているのです。

まだまだ、いい歌は沢山ある。

あまりにみながヒット曲とか、今の歌謡曲というものにこだわるから、わざと、普段忘れているようなものから引用してみたが、どれもこれも素晴らしい。これらの一つ一つに刺激され、感動してしまうほど、人間の方も歌に対して幅広い感性を持っている。

歌も人間も、捕らえ所がないことがわかっているのに、ぼくは、いったい何を言おうとしているのだろうか。

或る日突然、天から声が聞こえる。

お前がやれ、お前以外の人間にはできない、と。

その日から、急に人が変わったように、情熱的に歌を書きはじめる。

自分がやらなくては。

こう思った人なら誰にだって歌は書ける。いや、こう思った人しか歌を書いてはいけない。この実に、不遜な考えが大事なのだ。

他人にやれることなら、他人の方がまさっていると最初から思うなら、何も、貴重な時間をやたら苦しむことはない。ましてや、他人様に、一瞬でも愛されるというような失礼をおかす必要もないのだ。

今、世の中に流れている歌に満足している人は歌を書かない方がいい。気持ちよく唄う方にまわっていればいい。

何かちがう、どこかちがうという感じが、その距離感が、情熱の火つけ役なのだ。

才能なんて、そんなものいるもんか。

才能のない人間がいっぱい、歌を書いてるじゃありませんか。あいつも、こいつも、このぼくも。

間違いのないたった一つのことは、人間誰でも歌が好きだということです。

生きていて、一度も唄いたいと思ったことのない人、歌を聞いて一度も感動したことのない人、一度も歌を書いてみたいと考えたことのない人、こんな人は稀だろう。

歌を書きたいという思い、この思い、この思いの中にすべてがある。この思いさえ大切にしたら必ず書ける、書けないはずがない。

なのに、いつのまにか、その最初の美しい思いが、一枚のレコードがほしい、ヒット曲を書いてみたい、あの歌手に唄ってもらいたいなどという、なんとも美しくない方向へとそれていってしまう。


最初の、純な思いは、いったい、どこへ行ってしまったのでしょう。

誰の心にも歌がある。

心の中にあるものが外に出てこないはずはない。

そう思いませんか?

そう思うでしょう?

だから言うのです。歌は誰にだって書ける、と。

何も、おいしそうなことを言って受けようとしているのではありません。

歌を書く時はいつだって、一度も歌を書いたことのないような、歌が書きたくて書きたくて仕方なくて、ついにペンを持ったような、誰にだって書けると言われて、ほっと安堵の息をもらすような、そんな心細さの中にいるのです。

誰にだって歌は書ける。

だから、俺にだって歌は書ける。

そう思うより仕方がないじゃありませんか。


では、書くとしようか。

先ず、机にむかおうか、それとも、部屋の中をウロウロと歩こうか、ちょいと散歩に出かけようか。

なにしろ、考えはじめなければならない。

インスピレーションがやって来るまで、腕を組んで待っていようか。

詩はむこうからやって来る、という文句が『クマのプーさん』という童話にあったけど、インスピレーションがむこうからやって来るとは思えない。

なんですか？　そのインスピレーションという奴は？　そんな神様の気まぐれをのんびり待ってる暇はないのです。

歌は誰にだって書ける。その誰にだってが、神様の気分に左右されるんじゃ困るのです。

「この歌はインスピレーションで、一気に書いたのだよ」

と言う人がいる。

へえ、うらやましい話だなと思うと同時に、そんな馬鹿なことがあってたまるものかと、腹の中で、ぼくはつぶやく。

「書こうと思った時には、もうすっかり頭の中にできていてね。ぼくのやったことといったら、そいつを紙に書きうつすことだけだったよ、ハッハッハ……」

これではもはや作詩家ではない。霊感師か、神がかりの巫女（みこ）だ。

そんな、頭の中のものを書きうつすだけといった、複写機みたいなまねをしたって面白くもないだろうに。

第一、その歌の責任は誰がとるのでしょう。

神がかりのうわごとが歌になったとしたって、必ずしも素晴らしいものとは限らない。くだらない場合もある。そんな時の責任を神様がとってくれるはずもない。

寝呆けていたではすまされない。責任はすべて自分にある。笑われるのも自分、軽蔑されるのも自分です。

インスピレーションが字も読めない幼児に訪れるものなら信じていい。さもなくば、或る日突然、或る男が、今まで一度もつかったことのない言葉、例えばヒンズー語かなんかでしゃべりだしたとしたら信じていい。

しかし、そんな奇跡は起きやしない。

人間誰しも、自分の背たけにあったインスピレーションの恩恵にしかあずかれないのです。

自分自身の頭の回転や感覚に関係なく、外から降って湧いてくるようなものは、インスピレーションでもなんでもない。ただのアクシデントに過ぎない。

鳥は鳥の声でしか唄わない。

犬は犬の声でしか吠えやしない。

そこで、自分は……。

自分は結局、自分の声でしか唄えない。

待ちつづけるということ

インスピレーションなんて、そんなものたとえあったとしても外からやって来るものではないでしょう。自分自身の中にあると思えばこそ、いい歌を書こうと努力することができる。苦労して書きあがった作品をインスピレーションのせいにされたんじゃたまらない。


では、どうやって書くか。

なぜ書くかは決まった。書きたいから書く。書きたい思いが腹の底からつきあげてくるから書く。だが、どうやって書くか。

歌は誰にだって書ける。一億の人間は、それぞれ全くちがった一億の景色を眺めている。一億の世界をのぞいている。一億の感情にひたっている。

一億の顔があり、心があり、歌がある。

それをそのまま書いたって、残念ながら日記にしかならない。

いかにして、たった一人、自分だけが見たものを一億人すべての人が見たもののように描くか。書く、とはそういうことなのだが、どうやったらいいのか。どういう方法が一番正しいのかわからない。

ぼくはとにかく、机にむかう。

適度な高さの机。坐り心地のよい椅子。書きよい万年筆。すべりの良い紙。好きな色のインク。

適度な静けさ。適度な温度。適度な明るさ。適度な健康状態。

と、申し分のない状態に自分をおいてみる。

が、なあーんにも出てきやしない。

ぼんやりと上を見る。電気の笠の中で、虫が一匹死んでいる。去年の夏からのものだ。気持ち悪いから、とりやしない。とることと、こうして眺めていることと、どっちが気持ち悪いのかと考えたりしている。もう、あの虫は、指で触れたらハラハラと崩れるほどに、ひからびているのではないか。

ハラハラと崩れると言えば、『ノートルダムのせむし男』という映画のラストシーンの字幕がそうだった。「抱きあった二人の躰は手でふれるとハラハラと崩れおちた」――たしか、そんな文句だった。

いろんなことを思い出す。

さっき夕食をとった時、おしんこをつまんで口に運んだら、ぬかづけのにおいがツーンと鼻にきた。あの時、突然、北海道を連想した。なぜだろう。プルーストはプチット・マドレーヌの香りから幼少時代の記憶をあざやかに思い出す。そして『失われた時を求めて』の長い旅が始まる。

俺はいったい、何をやっているのだ?

考えるということは、実に不便なもので、いろんな愚にもつかないことが、誘蛾灯にまとわりつく虫のようにチラチラする。それがみんな大事そうに見えたり、関係ありそうに思えたり、いったい、どこへ行くのやら、あてもないまま、ただオロオロさまようばかり。

別れた女を思い出したり、人に言えない過ちを今さらのように悔いて、ひとりこっそりと顔をあからめてみたり……。

ひたすら、心が透明になってゆくのを待っているのかもしれない。

自分は作詩家でもなければ、妻や子を養う夫でもない。ただ単に、歌が書きたくて仕方のない人間なのだ。自由な一個の心。

歌が作られるというよりも、歌が生まれてくるという状況に、いかにして、自分を追い込んでゆくか。

ほらほら、歌が生まれようとしている。

ほらほら、もう少しで出てくる、出てくるぞ。

歌を書くということは、海に飛び込むことに似ている。

歌を書きたいという思い、それが悲しみなのか、淋しさなのかわからないが、何かわけのわからぬ正体不明のわだかまりにつきおとされて、海に飛び込む。

もぐってゆく。息を殺してもぐってゆく。

苦しくて、すぐにも浮かびあがりたい気持ち。耳はキィーンと痛くなる。心細さはいっそうつのる。

だが、そう簡単に浮かびあがってはいけないのだ。

一メートルでもいい、五十センチでもいいから、少しでも深くもぐること。そうすれば、少しでも大きな真珠、美しい碧玉（たま）がみつかるかもしれない。

手がとどきそうで、とどかない。息は苦しい。この焦りにも似たもどかしさが、書くことのよろこびかもしれない。

美しい貝をつかんで、一気に浮上する。海面に出て、ガバッと空気を吸った時、歌はできている。

しかし、海の底で見た時はあんなに大きかったのに、陸の上で見ると、この貝はなんて小さいんだろうと思うのも毎度のことだ。

しかし、それでもいいのだ。

海に飛び込んだら、安っぽい石でもいい、砂でもいい、何かをしっかりつかんであがってくることだ。

手ぶらであがってこないことだ。


他人の目から見たら、怠けてるとしか思えないようにボンヤリしている時、目の前で手のひらをヒラヒラされても気づかないような目つきで宙をにらんでいる時、その人はきっと、雑音の何一つ聞こえない海の底の美しい景色の中を泳ぎながら、貴重な貝に今しも手をのばしている時に違いないのだ。

そう信ずるしか歌を書く方法なんてない。

歌は誰にだって書ける。

しかし、簡単には書けない。

簡単に書けたものなんて、そんなもの誰よりも先に自分自身が一番最初にそいつを粗末にするものだ。

第三章　ドキュメント作詩

男はみんな華になれ

歌は簡単に書けない、という一つの証拠をここにお見せしようと思う。

さらさらと書けて、ひょっとしたら、俺は作詩の天才じゃないかしらんなどと勘ちがいすることもないではないのですが、ほとんどが苦肉の策ならぬ苦肉の作なのです。

大した迷いもなく、道ひとすじに書きあげたあとの湯上がりみたいな気分で何か言うのも気恥ずかしいし、聞いている方だって、阿呆らしくて眠くなってしまうにちがいありません。

そこで、ぼくは、恥をしのんで、あいつはあんな間抜けだったのかと言われるのを覚悟で、ここに一編の歌詩ができあがるまでの、実にバカバカしいまでの紆余曲折、大したことを考えているわけでもないのに、ああでもない、こうでもないと悩む醜態を、最近の実例を引いてお見せしようとする訳です。

ヒットするか、しないかもわからない。先のことは全然わからないところで恥だけをかこうというのもつらいものです。

あれは、ああして、こうやったら上手くいった。世の中の情報をこう分析したら、こう答えが出たから、やってみたら案の定大ヒットしたなどという話をよく聞きますが、あれは言ってる本人、いい気分なものでしょうねえ。

それにひきかえ、このぼくは、当たるものか、はずれるものか見当のつかないところで、書いては消し、消しては書いた生々しい原稿をそのままお見せしようというのだから、損な役まわりじゃありませんか。

『男はみんな華になれ』という歌を書いてくれと頼まれました。

「男はみんな華になれ」うん、いい文句だと思いました。

実はこれ、或る紳士服メーカーのCM用のコピーなのです。

そのコピーをつかって歌をつくり、コマーシャルフィルムのバックに流して、お互いにいい結果を得ようという、最近流行の作品づくりのパターン。歌手は黛ジュンに決まりました。

黛ジュン、『恋のハレルヤ』『霧のかなたに』『乙女の祈り』『夕月』『天使の誘惑』とデビュー曲からレコード大賞の作品と、ぼくがつづけて書いていた歌手。その後、パッとしたヒット曲なし。結婚したり、離婚したり、結婚しそこなったりと、話題は多かったが、その功罪いずれが大きいか？

最近、映画『象物語』のテーマを唄って、少々の成功をおさめているが、今一つ、世間に浸透していない。

その黛ジュンにほぼ十年ぶりに書く。いろんな意味で可愛いジュンのために久しぶりに書いて、一敗地にまみれるのもシャクな話ですし、なんとか成功させなければならない。レコード会社はＣＢＳソニー。ディレクターは、今や業界随一の酒井政利。この人とは、『夜と朝のあいだに』にはじまって、『雨がやんだら』『夜が明けて』など、ヒットを飛ばした経験がある。酒井ディレクターとも久しぶりの仕事だから、これも、ゴメンナサイではすまない。

プレッシャーは、そんな訳で、実にヒシヒシと身に迫ってくるのでした。

「男はみんな華になれ」、なぜ「花」ではいけないのか。

あの役者には花がある。あの男が来るとパーティに花が咲く。ぜひ一言言って花を添えて下さい、などと言う時つかう字は「花」の方が多いはずなのに、なぜ「華」なのか、がぼくの質問。

この「華」という字を見ると、すぐに、中華ソバの「華」を思い出すし、ボードレェルの『悪の華』を連想する。どことなく不健康、隠微な感じがすると言ったら、

「これでいいのです。もう決定してしまったのです。いや、これだからいいのです」

と、様々に言われて、チョン。そのうちに、ぼくの方まで、「はなやか」という時は「華やか」だから、火事と喧嘩は江戸の「華」と書くからこれでいいのかもしれないと思うようになり、さてと、作詩に取りかかることにあいなった次第です。

例によって、部屋の中をウロウロ、近所を散歩、レコードを聞いたりと、仕事に取りかかる前にやることは全部やってしまって、もう後がない。さて、やるかと思ってはみたが、一向に考え

がうかばない。

⇩何を考えるかって？　思いつくままさ。

⇩最近の黛ジュンはいい女になった。

⇩いい女になる女性ってのは男をエサにして生きているのではないか。

⇩恋をして別れ、また恋をして別れ、傷ついてやつれているかなと思うと、とんでもない、前
よりみずみずしくなっている。

⇩男だったら、さしずめ〝青ひげ〟といったところだ。

そんなことをぼんやりと考えている。歌のキッカケになりそうなものは何もない。

⇩男だったらなあ、〝青ひげ〟で歌が一つ書けるんだけどなあ。

⇩女じゃ無理かもなあ。

⇩〝青ひげ〟はペローのお伽噺集『マ・メール・ロア』で有名。

⇩多くの妻を持ち、一人、二人と妻を殺してゆく。

⇩妻たちの血を吸って、年齢（とし）もとらず、日に日に若々しくなってゆく〝青ひげ〟

⇩一人の女では決して満足できない〝青ひげ〟

⇩オペラにもなっている。

グレトリー「青ひげラウール」

オッフェンバック「青ひげ」

デュカ「アリアーヌと青ひげ」

レスンチェク「青ひげ騎士」
そして、
バルトーク「青ひげ公の城」

⇩バルトークの「青ひげ公の城」の城とは男の心のことである。その心の中に、男は複雑怪奇な小部屋を沢山持っている。

⇩第一の部屋、第二の部屋……そして、第七の部屋。

⇩バルトークのオペラの場合、以前の妻たちは第七の部屋に押し込められていて、殺されてはいない。

⇩〝青ひげ公〟とは、男性全体の象徴である。

⇩この話をそっくり〝女〟にあてはめてみて嘘はないか。

⇩女だって、心の中に七つの部屋を持っているかもしれない。

⇩女だって、一人の男に満足できないかもしれない。

⇩女が一人の男で満足できるなんてのは、男どもがこしらえた迷信にすぎない。

⇩女青ひげ。変なの。女にひげが生えるか？

⇩歌にしてみて面白いか？　わからない。

⇩「男はみんな華になれ」というテーマにそっているか？

⇩花を愛する女。

⇩造花をつくって楽しむ女。

⇩人間を造花にする女。
⇩菊人形みたいな人間の剝製をこしらえて楽しむ女。
⇩ロアルド・ダールの短編集『キス・キス』の中の「女主人」みたい。気味悪い。
⇩「花」の解釈、さまざま。
⇩ここまで考えたんだから、歌にしてみるか。
⇩ちょっと、かしがった歌になるかもしれない。
⇩スポンサーサイドがイヤな顔をすることうけあい。
⇩例えば、出だしはどんな文句になるか。
「女の心には七つの部屋がある」
こんな調子かな。いいか悪いかわからない。

女の心には七つの部屋がある
七つの部屋のそれぞれに
好きな男を住まわせて
生きてゆくのが夢なのさ

⇩なんだか、説明ばっかりで、歌の前半が終わってしまった。
⇩アパートの管理人みたいな安っぽさがつきまとう。

⇩或る一人の女の欲求不満を女全体の哲学に置きかえている〝ずるさ〟が感じられる。
⇩サビからあとはどう書く。

恋じゃない　愛じゃない
美しくなるために男が必要なのさ
男はみんな華になれ
きれいな花から摘んであげる
男はみんな華になれ
私の部屋に飾ってあげる

⇩こりゃあ、いったいなんだ。変な歌。
⇩アラン・ドロンの『ショック療法』という映画を思い出す。
⇩男は女の回春剤か？　そうかもしれない。
⇩しかしまあ、こうはっきり言ってしまっては色気も何もない。
⇩お前自身、面白いと思うか？　思わない。
⇩これが一番として、二番を書く元気があるか？　ない。
⇩色情狂の歌になってしまった。
⇩ちょっと「部屋」にこだわりすぎていないか？

⇩こんなことを口走る女は魅力的か？

⇩遊び相手には面白いだろうが、こんな女に恋する男は少なかろう。

⇩アイデアだおれ。力不足。

⇩女も〝ババア〟になって、金があったらこんなことを考えるかもしれないが、若いうちはもう少し、ニュアンスのあるもの。

⇩出だしの文句に問題があるのかもしれない。

女の心には七つの部屋がある
七つの恋を　一度にできる

⇩ダメだなあ。唄ってない。薬の効能書きみたいだ。

女の心には七つの部屋がある
男が知らない女の秘密

⇩なんとか意味深長にしようと思って口にする言葉が、かえって逆効果になることの典型的なパターン。

⇩何が女の秘密だ、バカか、お前は⁉

⇩やっぱり前のままでいいのか？

⇩じゃ、サビからあとを変えてみようか。

女の心には七つの部屋がある
七つの部屋のそれぞれに
好きな男を住まわせて
生きてゆくのが夢なのさ
あなた話し相手
あなた踊る相手
あなた眠る相手
あなた　あなた　あなた　あなた
男はみんな華になれ
女の部屋を美しく飾れ

⇩どうしたのかなあ、こんなバカバカしい歌を書くとは思わなかった。

⇩あなた、あなたと、全部で律儀に七回言ったりして、なぜそんなに七つの部屋にこだわるのか。

⇩意味はわかりやすくなったことは確かだけど、その分、下品になったことも確かだ。

⇩しかし、これなら二番はすぐ書けそう。

女の心には七つの部屋がある
七つの部屋の花の蜜
唄ってきれいになってゆく
それが女さ蝶なのさ
あなた顔が素敵
あなた肩が素敵
あなた背中素敵
あなた　あなた　あなた　あなた　あなた
男はみんな華になれ
女に蜜を与えて滅べ

⇩ウーマンリブのスローガンみたいな歌になってしまった。

⇩書いているうちに、なんとか、上手く転回か、展開するだろうなどと考えて、いいかげんに書き進むから、こういうことになるのだ。

⇩このくらい安っぽく仕上がることをわかっていながら、その安っぽさにむかって平気で進んでゆくことの愚かさ。

⇩この歌に、自分の名前を署名できるか？　できない。そうだろう。ひどすぎる。

⇩男が野に咲く花々で、女がそこに戯れている図が意外に美しく見えない。

⇩大女が、ガリバーみたいに歩いている。その足もとに、花になった男どもがうごめいている。

⇩しかし、現実はこんなものかもしれないが。

⇩女王蜂と働き蜂を見よ。

⇩とにかく、あまり面白い歌ではない。

⇩棄てる！

⇩いや、待てよ。もう一つ試してみよう。

⇩こんな方法はどうだ。

女の心には七つの部屋がある
だから一度に　七つの恋ができる
あなた話し相手　あなた踊る相手
あなた眠る相手　あなた〳〵
あれは真赤なウソひとすじの恋なんて
あれは真赤なウソ永遠の愛なんて
男はみんな華になれ
きれいな花から摘んであげる

男はみんな華になれ
七つの部屋を飾ってあげる

⇩なんでもかんでも詰め込んで、一度にものを言おうとするとこうなる。

⇩最初の二行、次の二行、次の二行、次の二行とリズムが変わりすぎる。

⇩あまり、目の前にチラチラと色んなものを見せると何も見えなくなってしまう。

⇩心の中に七つの部屋があればそれでいいじゃないか。

⇩ひとすじの恋がウソだとか、永遠の愛がウソだとか、ちょっと一言多すぎやしないか。

⇩あれは真赤なウソという言葉の響きは面白そう。

⇩しかし、この歌の中に〝或る種の真実〟はあるか?

⇩真実なんて、そんな言葉はつかえない、おそれおおくって。

⇩或る種の真実はある。しかし、「男はみんな華になれ」と行く時に、快感がない。

⇩「男はみんな華になれ」という言葉以外にとりたてていい文句がない。しかも、この文句は他人様からのあてがいぶち。

⇩〝青ひげ〟を思いついたばっかりに、とんでもない、つまらない歌を書いている。

⇩男が本音を言った時は、どこか切なさが漂うものだけど、女が本音を吐くと、どうしてもえげつなさが鼻につくのはなぜか。

⇩黛ジュンはいい女になったと思ったはずなのに、この歌からうかぶイメージの女は、生意気そうでいただけない。

⇩ホストクラブに通う、中年の有閑マダムを連想してしまう。

⇩男の場合だったら、数々の女を求める気持ちに嘘はないのだが、女でも本当にそういう心理はあるのかな？

⇩女友達に電話してきいてみる。

⇩「あるわよ」という答え。

⇩この女は自立している女。

⇩翔んでる女ではない。古いタイプの女。

⇩或る種の真実は、まあ、あるわけだ。

⇩しかし、女性の場合、七人の恋人がいた場合、どうしてもその中の一人を特定の男にしてしまう傾向があるともいう。

⇩しかし、人間、最後のところはわがまま。自分本位に考えていいなら、江戸城の大奥みたいなものを作ってみたいとも思う心なきにしもあらずとも言う。

⇩こんなのはどうか。

女の心には七つの部屋がある
だから一度に七つの恋ができる
一番の部屋から七番の部屋まで

うまってないと淋しくてたまらない
一部屋あくと街に出る
ちょいと街まで花つみに
男はみんな華になれ
…………

⇩最後まで書く気がしない。

⇩言葉ばかりしゃべっていて、イメージがちっとも湧かない。

⇩絵がない。

⇩カラフルでない。

⇩女の心に七つの部屋があるのはわかった。だからどうしたというのだ。

⇩この歌の主人公は女の代表だとでもいうのか。

⇩生活感が全くない。

⇩この女が生きているという感じが、まるでしない。

⇩ちょっと、お先ばしった女流エッセイストの文章にこんなのがある。

⇩話ばかり、理屈ばかり、意気込みばかりで実感がともなわない。

⇩複数の対象への愛というやつを歌にするのはむずかしい。

⇩愛とは、ひとすじのもの。わき目をふらぬものという偏見がある。偏見か。真実かもしれない。

⇩いや、いっそのこと、女の身分をはっきりとさせようか。

⇩そう、女は女王様がいい。そうすりゃ、男選びも自由というものだ。

⇩それとも、女っていう生き物すべてが、女王みたいなものだと言って、あがめたてまつろうか。

女はみんな女王です
女王は城に住んでます
城には七つの部屋があり
七人の男を飼ってます
お前話し相手　お前踊る相手
お前眠る相手　そしてお前美しい花
男はみんな華になれ
きれいな花から摘んであげる
男はみんな華になれ
私の部屋を飾ってあげる

⇩女王様だから、男をつかまえて、お前と呼ぶわけか。

⇩なぜ、七つの部屋、七人の恋人でなければならないのか？

⇩まさか、白雪姫が七人の小人とこんな生活はしていなかったろうな。

⇩バルトークの『青ひげ公の城』にがんじがらめにされているのではないか。

⇩といって、何人、いくつの部屋ならいいのか、その数がわからない。

⇩こんな歌に、他人が果たして、感情移入するか。

⇩書いている本人が感情移入していないのだから、ましてや他人が……。

⇩こんな歌は、ミュージカルの一場面で、女王様の生活ぶりを説明する歌なんかではつかえそう。男を従えて踊ったりして……。

⇩かつて、こういう歌はなかったのだから、もうひとひねり踏んばったら、面白い歌になりそうなのだけれど、「男はみんな華になれ」という言葉と話があいすぎて、かえって、つまらなくなってしまっている。

⇩女の可愛らしさがまるでない。

⇩まるで魔物そのものといった感じだ。

⇩口から火を吐きそうだ。

⇩自分はたしかにいい女だと思っているのだろうが、誰もそうは思わない女像。

⇩じゃ、いっそ、花には蝶々と、ありきたりなことはわかっているが、女を蝶々にしてみるか。

女は蝶々　蝶々は浮気もの

心の中に　七つの部屋がある
部屋それぞれに違った男を
住まわせ一度に愛することができる
ひとつの部屋があいたから
私は街に出た
そして、あなたという人に出逢った
男はみんな華になれ
きれいな花にとまってあげる
男はみんな華になれ
おいしい蜜を吸ってあげる

⇩少しは歌らしくなったようだ。

⇩女が蝶々であるというイメージが先に来て、七つの部屋が心の中にあるという、大事な言葉が一歩、うしろへさがってしまった。

⇩浮気ものであることの内容説明になってしまっている。

⇩浮気ものであることが問題なのではない。

⇩心の中に七つの部屋を持っていることが問題なのだ。

⇩原因と結果が入れかわっている。

⇩初めて〝あなた〟という語りかける相手が登場してきた。

⇩この〝あなた〟と呼ばれる男はいったいどうするのか。女に誘惑されて、一つの部屋の住人になって棄てられるまでそこにいるのか。

⇩男から、女に何もできないのか。

⇩心理の中のドラマを現実の動きの中で見せようとすることの困難。

⇩どうなるものやら、二番へ行ってみるか。

花から花へ　飛びたい蝶だもの
心にいつも　七つの恋がある
恋それぞれに　違った涙を
流して別れて　美しくなってゆく
ひとつの恋がすんだから
私は花摘みに
そして、あなたという花をみつけた
男はみんな華になれ
きれいな花にとまってあげる
男はみんな華になれ
おいしい蜜を吸ってあげる

⇩これ以上には発展しようがない。

⇩男に対して、美しい花であれという女の願いは感じられる。が、それはいったい、なんのために？……。この世が美しくなるためか？　女の目を楽しませるためか？

⇩おしゃべり女がペラペラとものを言ってるみたいで、心に残る言葉がない。

⇩新しい女の生き方とか、男から自立した女とか、そんな匂いがつきまとい、「うん、わかるなあ」というものがない。

⇩女が大して、可愛くない。かえって、こわい。

⇩黛ジュンは、たしかに、いい女になった。しかし、「おいしい蜜を吸ってあげる」と言われて、そうかそうか、うれしいなあと、男どもが長蛇の列をつくるほどにいい女か？

⇩多数の男を相手にする女にそれがゆるされる論理、それは優しさだけ。

⇩も一つあった、人類保存の法則。『復活の日』を見よ。

⇩〝あなた〟という人に出逢い、〝あなた〟という花をみつけたところから、歌がはじまるはずなのに、そこでこの歌は終わっている。

⇩はてさて、どうしたものか。

⇩自分の心の中に七つの部屋があるということは、七人の自分をかかえて生きているということと同じくらいに大変なことなのに、この女は、いっこう悩む気配もなく、それを自慢げに浮気をしている。だから共感を得ないのだ。

⇩そこに悩みがあり、苦痛があり、顔が歪むほどの悲しみがあれば、夜毎、男をさがしに出かける姿にも、人は哀れを感じ、そして許してくれる。

⇩『ジキル博士とハイド氏』もしかり。

⇩こうアッケラカンと書いてしまっては、低能女の歌になってしまう。

⇩女の心理を唄ってはいるが、女の人生を唄ってはいない。

⇩女全体を唄ってはいるが、一人の女の姿を唄ってはいない。

⇩一人の女と、ある物・ある人・ある事件との関わりあいがない。

⇩こういう心理の動きは女性のほとんどにあてはまることではあろうが、こういう行動そのものはほとんどあてはまらない。

⇩見えてないものを、目に見えるように書くと嘘になる。

⇩見えないものは、匂わすしか方法がないのか?

⇩結局、この歌はボツか? 多分、そうだ。

⇩「男はみんな華になれ」という言葉の解釈をも一度、やりなおさなくてはならない。

⇩男が女のためにある。女をよろこばすために男が存在する、という考えで、とりかかったから、こういう結果になったのか?

⇩「花」「蝶々」という連想が短絡的すぎるのか? 短絡には短絡の良さもあるのだが……。

⇩この際、「新しいおどろき」がない。

⇩いや、もっと生々しい、男と女のからまりあいの中で、「男はみんな華になれ」という言葉を女に言わしめる場面を書いてみるか。

⇩ちょっと休憩だ。疲れた。


⇩自分が今、どんな歌を書きたいと思っているのか、わからなくなってきた。

⇩女が花を愛している。

⇩女が花にほおずりをする。

⇩女は官能的な表情になる。

⇩突然、花が化け物みたいにどんどん、大きくなってゆく。

⇩花が女を愛しはじめる。

⇩花が女を犯してゆく。

⇩女は恍惚の色をうかべる。

⇩裸の女が花咲く野原に横たわっている。

⇩情事のあと。

⇩男の姿は見えない。

⇩女を犯したのは花たちか？　そうに違いない。

⇩俺は何を考えているのか？　これで「男はみんな華になれ」につなげるか？

⇩やってみなければわからない。

⇩女は男に抱かれている時、私はたしかにこ、の、人、に抱かれているという意識はあるのか？　こ、の人という意識。

⇩最後には、誰でもいいのではないか。

⇩女の快感における、精神的なものと、肉体的なものの比重がわからない。

⇩女はきれいごとを言うが、そんなもの、当てになんかなるもんか。

⇩恍惚境をさまよう女の顔を見おろしている時、取り残されたような思いにとらわれない男がいるだろうか?

⇩ふと、われにかえって、目を開いたら、自分を抱いたにちがいない男が目の前にいる。その時初めて、この人という意識がよみがえってきて、抱きついてくる。とまあ、そういった場合もあるのではないかな。

⇩と、ぼくはタバコをふかしながら、ボンヤリと考えている。結局、休憩にならない。

⇩大きな花が女を愛撫している。

⇩女は花を見上げてる。

⇩男は汗をかいている。花のしずくというわけか。バカだねえ、お前さん。

あなたに抱かれた時
私がどんなに素敵か
あなたにはわからない
その素敵さの半分でも

あなたに分けてあげたい

⇩さてと、これからどうしよう?

⇩自分が女であることの幸せ。

⇩今度生まれて来る時も、絶対に女でありたいと願う女もいる。

⇩その、素敵さは、いったい、どこから来るのか? 愛からか、恋からか? そういう体なのか? まだ、こんなことを考えている。女をちっともわかっていない。

⇩行数が奇数になっているけど、これはまあ、あとで考えることにしよう。

今度生まれて来る時も
私は女よ
いやいや　絶対女よ　女がいいわ

⇩つまらない文句だけど、とにかくここに二行ほどあって、そのあとで、「男はみんな華になれ」と行きたい。

⇩なぜか? もりあがる前に一度しゃがみたい気分。

⇩なぜ、「男はみんな華になれ」という言葉で歌がはじまってはいけないのか?

⇩言葉が強すぎて、二行目にそれをうける弾力性のある言葉がみつからない。すると、歌のバランスが最初から狂ってしまう。

⇩この言葉の持っている角度が広すぎる。したがって、どんな解釈でもできる。

⇩「男はみんな華になれ」という言葉は独立性が強すぎ。作り手の解釈でこしらえた二行目の文句が飛び込んだ時、ほとんどの場合拒絶される。

⇩だから、この言葉、いわゆるキャッチフレーズという奴があまりに角度の広い場合は、あらかじめ、舞台装置や小道具を配しておいて、その言葉の意味を限定しておく必要がある。だから、この言葉で、唄いはじめる訳にいかない。

⇩そこで苦心しているのだ。

男はみんな華になれ
女の命を飾れ
男はみんな華になれ
女の肌の上で散れ

⇩全然ダメだ。雰囲気がない。

⇩女のために、男の命を散らすのか。まるで恋の決死隊だなあ。

⇩前半はラヴソングになりそうな進行なのに、突然、発狂したみたいに女が叫び出す感じがいただけない。

⇩男に抱かれながら、女が薄目をあける。

　男はみんな華になれ
　私は花を見上げてる
　男はみんな華になれ
　花のしずくが落ちて来る

⇩花に犯される女の歌。

⇩所期の目的はとりあえず達した。

⇩恍惚の世界をさまよいながらの、女のうわごとが歌になったらこうなるのか？

⇩女が女であることに幸福感を感じている歌。

⇩一番は、女の体感から話がはじまって、うわごとで終わった。

⇩二番は女の幻想を唄おうか？

⇩この歌がいい歌かどうかわからない。とにかく最後まで行ってみる。行ってみて、つまらなかったら、棄てるだけだ。

⇩一番のうちはこの人という意識があるのだろう。それが段々、薄らいでゆく。

　あなたに抱かれながら

私が見ているまぼろし
あなたにはわからない
もうあなたでも誰でもない
真紅なバラの花園
たとえ私が眠っても
はなれちゃいやなの
いやいや絶対一緒よ　一緒がいいわ
男はみんな華になれ
私は花にくちづける
男はみんな華になれ
私は蜜を吸っている

⇩汗ばんだ女体がのたうちまわっている。

⇩最初はイヤだと言っていた女が、やがては男の背中に手をまわし、そして、指先に力が入ってゆく感じ。

⇩あまりの幸福感に、たまりかねて、女が叫んでいる、「男はみんな華になれ」と。

⇩これでいいのか？

⇩この詩にはメロディがあるが、リズムが感じられない。

⇩ムードはあるが、感動がない。

⇩場所はどこなのか?

⇩やたら寝室とか、ベッドが思いうかぶ。こいつは困ったものだ。

⇩性感度の強い女だ。こういう女は、そう沢山いるもんではない。だから、共感は呼ばないかもしれない。

⇩しかし、女は誰だって、自分が感じている恍惚感が最高だと思っているにちがいない。だから、共感を呼ぶかもしれない。

⇩だが、この歌がいい歌かどうかということになると怪しいもんだ。あまりに、ポルノグラフィックすぎる。

⇩大人にしかわからない。

⇩「もうあなたでも誰でもない」という文句が、女そのものに否定されそうだ。

⇩女はウソつきだなあ、本当に。

⇩なにしろ、キレイゴトが好きなんだから。

⇩好きな男に抱かれながらほかの男を夢に見るというのは、何も『魅せられて』という歌にはじまったことではない。

⇩森鷗外の『雁』の中にこういう文章がある。

「末造が来てゐても、箱火鉢を中に置いて、向き合って話をしてゐる間に、これが岡田さんだったらと思ふ。(中略)それから末造の自由になってゐて、目を瞑って岡田の事を思ふやうになった。折々は夢の中で岡田と一しょになる。煩はしい順序も運びもなく一しょになる。そして「ああ、嬉しい」と思ふとたんに、相手が岡田ではなくて末造になってゐる」

⇩女は、自分の中にある一番女くさいものを嫌悪する癖がある。

⇩だから、女の歌を書く時には要注意のこと。

⇩逆手に利用してよろこばせることもできる。そんな時、女は言う。

「どうしてあなたはそんなに女心がわかるの？」

　あまりに粋がって、文学面して、真実の世界にまで足を踏み入れると、歌がこちらに向かって刃物をふりあげる。〝或る種の真実〟でとどめること。

〝或る種の真実〟とは何か？　〝真実に似ているもの〟という意味か？　即ち、〝真実でないもの〟ということか？

⇩それはつらすぎる。

⇩〝或る種の真実〟とは、市民権を得ていない真実とでも言おうか。

⇩真実が市民権を得るなんてことがあるのか？

⇩しかし、まあ、この歌は、ＬＰレコードの片隅で、雰囲気だけを楽しんでもらうような、そんなパワーのない、アタックのない歌としては通用しそうだけど、シングルレコードとして、戦場で闘うには力不足って感じだな。

⇩なぜか？

⇩もっともだ、とうなずく女は沢山いるかもしれないが、この歌に感心する男は一人もいないだろう。

⇩女のために、年中「華になる」のも疲れることだし、「女はみんな華になれ」と逆に男自身が思ってもいるのだから……。

⇩じゃ、ボツか？

⇩ボツだなあ。

⇩あーあ、疲れたよ。また休憩すっか。


⇩どうしたらいいのかなあ？

⇩唄っている女も気持ちよくて、いい女に見えて、それでいて、男も素敵に見える歌。そんな歌がのぞましいなあ。

⇩今まで考えた歌はみんな、少し官能的すぎたようだ。

⇩もう少しサラッとしていて。棄てていて。

⇩女は男というものに「花」を見る時は、どんな時か。その時は、男のどんなところなのか？

⇩男の背中に色気を感じると、よく女が言うが、どこまで本当なのか。

⇩男にしてみれば、少なくとも、俺なんか、女にうしろ姿を見られてると思っただけで顔があからむ。恥ずかしい。何かがバレそうな気がする。

⇩そうか。男のうしろ姿には、思いがけない男の告白があるのかもしれない。

⇩色気とはそういうものか。本人がかくそうとしてもにじみ出てしまうもの。

⇩ならば、男の背中に色気を感じるという女の言葉はかなり正しいことになる。

うしろ姿で男がわかる
背中に男のロマンが匂う

うしろ姿で男がわかる
愛のドラマに幕を引く

⇩あまりいただけないな。

⇩「うしろ姿で男がわかる」と、女の視線ではじまっておきながら、二行目で話の説明をしているようじゃいけないな。

⇩女の視線で最後まで通すのか？

⇩どんな男なのだ？

⇩気障で、カッコよくて、女を棄てても憎まれない、そういういい男っているもんだ。あれか。古いな。でもまあ、永遠のいい男だからなあ。そんないい男のうしろ姿なら、たとえ自分を棄てた男であっても、女はぼんやり見とれてしまうこともあるだろう。

靴でタバコをもみ消して

そしてクルリと背をむけて
私を棄てたあなたに
しばらくみとれていた

⇩そこでさっきの文句を入れようか？

⇩でも、少しは変えないといけない。

⇩前のままじゃゴツゴツしている。「背中に男のやさしさがある」かなんかがいいかな？

⇩この場合のやさしさとはなんだ？

⇩女が最後に希みを託すものか？

⇩ありもしないものを見てしまう女の願いか？

過去を背負って歩くよな
うしろ姿の美しさ

⇩ダメ！

甘いロマンが匂うよな
うしろ姿の美しさ

⇩違う！

うしろ姿で男がわかる
背中に男のやさしさがある

⇩やっぱりこうか。

⇩そのやさしさを当てにして、女はどうする？

⇩はかない希みを抱いて、あとを追うのか？

⇩追わせてみるか。

私はあとを追いかけ
あなたにすがりついた

⇩女は何を思ってすがりついたのか？　未練か？　ちがう。そんなものが通用するような男でないことは、女が誰より知っている。

⇩じゃ、なんのためにすがりついたりするのだ？

⇩男も、グッと、それをうけとめて、やたら騒いだり、うろたえたり、逃げだしたりしないのだろう。

⇩じゃ、なぜ？　女が何を言いたいかわかっているから。

⇩女は何を言いたいのか？

⇩自分たちの恋が間違いでなかったことを確認したいのか？

⇩それとも、新しい人生にむかって旅立つ男にはなむけの言葉をおくりたいのか？

全てが素晴らしくなくていい
愛が真実ならそれでいい

⇩よく意味がわからない。

恋なんか実らなくてもいい
愛が真実ならそれでいい

⇩月並みなイモ哲学だけど、まあ、先へ行こう。

男はみんな華になれ
愛する女の胸に咲け

男はみんな華になれ
そして美しい想い出になれ

⇩恋のラストシーンってとこか。

⇩ちょっと男がカッコよすぎやしないか?

⇩演技が臭い臭い。

⇩臭い演技はわかりよい。わかりよいけど安っぽい。場末の軽演劇の芝居。旅まわりの役者の芝居。無教養な俳優の芝居。

⇩この臭い演技という奴にしびれる女もいるから不思議だ。

⇩男から、みんなに嫌われている男が、なぜか女にモテる不思議。

⇩一番だけまとめてみよう。

靴でタバコをもみ消して
そしてクルリと背をむけて
私を棄てたあなたに
しばらくみとれていた
うしろ姿で男がわかる
背中に男のやさしさがある

私はあとを追いかけ
あなたにすがりついた
恋なんか実らなくてもいい
愛が真実ならそれでいい
男はみんな華になれ
愛する女の胸に咲け
男はみんな華になれ
そして美しい想い出になれ

⇩「そして」という言葉が二度出てくるのが気にくわない。

⇩「愛する女の胸に咲け」は「女の胸に紅く咲け」と変えた方がいいのではないか?

⇩「男は……」に入る前の二行の文句が、どうにも抜けていない。なんとかならないか。

⇩「そして美しい想い出になれ」でいいのかな? 「そして消えない想い出になれ」かな?

⇩しかし、それにしても臭い演技をする男だな。男の程度で女の程度も決まる。すると、この女も大していい女でないということか。困ったことだ。

⇩臭い芝居のまま二番やってみるか。

遠く旅立つ人のよに

チラリ時計に目をやって
私の腕をほどいて
あなたは歩きはじめた

⇩何処までも、男の臭い演技はつづくのです。

⇩どうも好きになれない男だな。

うしろ姿で男がわかる
背中に男の悲しみがある

⇩こんな男の悲しみったって、どうせ安っぽいものだろうが……。

私も心決めたの
この人しかいないと

⇩あれれ？　変なことになったぞ。

⇩女は、まだあきらめていなかったのか？

⇩すると、一番で追いかけていったのは、も一度愛してもらいたかったからなのか。書いている本人さえ気がつかない女心の不思議さよ。

⇩すると、この歌は失恋の歌でなくて、恋のやりなおしの歌になるのかな?

⇩すると、「男はみんな華になれ」の部分がまるで違ってくる。変えなければいけない。「想い出になれ」って訳にいかない。

男はみんな華になれ
女の胸に赤く咲け
男はみんな華になれ
生きる歓びの歌になれ

⇩とまあ、こんな風に愛を高らかに唄うのか?

⇩となると、その前の二行をも少しなんとかしなければならない。

⇩この女のものの考え方や過去が匂うような言葉。

いつわりだらけの人生に
たった一つの真実を

⇩とやって、全ての世界に背をむけて、今、目の前にいる男の心にささやかな真実を求める女心。

⇩心中の美学に通じるような何か。

⇩そういうマイナスの情熱が「男は」から逆転することで快感につながるかどうか。

⇩読みかえしてみよう。

靴でタバコをもみ消して
そしてクルリと背をむけて
私を棄てたあなたに
しばらくみとれていた
うしろ姿で男がわかる
背中に男のやさしさがある
私はあとを追いかけ
あなたにすがりついた
いつわりだらけの人生に
たった一つの真実を
男はみんな華になれ
女の胸に赤く咲け
男はみんな華になれ

生きる歓びの歌になれ

遠く旅立つ人のよに
チラリ時計に目をやって
私の腕をほどいて
あなたは歩きはじめた
うしろ姿で男がわかる
背中に男の悲しみがある
私は心決めたの
この人しかいないと
いつわりだらけの人生に
たった一つの真実を
男はみんな華になれ
女の胸に赤く咲け
男はみんな華になれ
生きる歓びの歌になれ

⇩どうなんだろう。一応は歌になっているのだろうか？

⇩別れ話を言いだした男。悩んだすえについに別れを決心した女。

別れる時が来た。

男は歩きだす。

その背中を見ながら、女は、自分はこの人を愛してよかったと思う。

男の愛は沢山の嘘に飾られていたかもしれないが、私を少なくとも愛してくれたということだけは嘘でなかったような気がする。

その小さな真実だけでも失ってはいけない。

女は男のあとを追う。すがりつく。

愛する男は女にとって、これほどまでに価値あるものになり得るのか。


⇩男は女をふりほどく。

⇩そんなことぐらいで心がぐらつくほどになまやさしい決心じゃなかったのだ、と言いたげに。

⇩男は歩きだす。

⇩その背中を見ながら女は思う。

⇩なんという悲しげなうしろ姿だろう。

⇩この人は悲しかったのだ。その悲しみを理解してあげられなかった自分は、なんて愚かな女なのだろう。

⇩そんな無理解な女に男が別れを告げるのは当然だ。

⇩今、やっとわかった。この人は私をきらいになったのではない。愛しているのに、わかってもらえないことがつらかったのだ。

⇩女は、再び、愛することを決心する。

⇩このたった一つの小さな真実を信じて生きるしか生きる道はないのだ。

⇩愛する人よ、私の胸に輝け。生きる歓びの歌を唄わせておくれ。


⇩とまあ、筋書きだけは通ったようだ。

⇩しかし、もう一つピンとくるものがない。

⇩どこがどうしたというものでなく。この歌にはもう言葉をつけ足したり、引いたりするところは、とりたててないのだが、良く仕上がっていないのだ。

⇩俺の心の中で、誰かが否（ノゥ）と言う。

⇩それは、いったいなんなのだろう？

⇩やはり、女の心理の動きに自然な流れがないからなのだろう。

⇩「男はみんな華になれ」という言葉が結局、自分のためというように響く。エゴイスティックな感じがする。

⇩男の動き、女の動き、それだけが描かれている。が、役者はそろっているのだが、舞台がない、大道具がない。小道具だけがまあまあある。

⇩場所がどこなのか？

⇩季節はいつなのか？

⇩どんな街なのか？

⇩ああ、歌を書くって、なんと、面倒くさいんだ。

⇩この歌には、そんなものが欠けている。

⇩ただ恋に破れそうな女、愛を棄てそうな男がうごめくだけ。

⇩しかも、この男と女は、今、人生の最大の危機の状態にいると思い込んでいる。危機かもしれないが、そう思い込んでいるサマが鼻もちならないのかもしれない。

⇩何かすごく大事なことをやっているように見えるところがいやらしい。

⇩だから、最初から言ったじゃないか、男の芝居が臭いって。

⇩わかっているくせになぜ、途中でやめないのか？

⇩そう言うな、どう発展するかわからないという未知のものに出逢うことも、作詩の楽しみの一つなのだから。

⇩これもまたボツか？

⇩ボツだねえ。なんかちがうねえ。

⇩いったい、いくつボツにすれば気がすむんだい。

⇩いくつでも。納得のいくのができるまで。

⇩それにしてもお前、才能ないねえ。

⇩まったくだ。あるのは根気だけみたい。

⇩今までの反省。

⇩「男はみんな華になれ」という言葉にふりまわされすぎていたこと。この言葉が強いから、つい、女が大きな声で叫んでいるような印象をうけるが、別にそうとは決まっていないのだ。この言葉を女がポツリと言ってもいいのだ。なんでこんなことに今まで気がつかなかったのか。

⇩「華」といえば「フラワー」を連想してるところが単純なのだ。だから、蝶々が出てきたり、蜜を吸ったり、女の胸に紅く咲いたりすることになる。もっとシンプルに「華」という言葉が持つ響きとニュアンスを信じること。

⇩「華」「はなやか」「主役」「美しく」そんな意味だけでいいのだ。「華」から無理矢理、話をつくりあげるから、どうしても嘘が匂ってしまう。

⇩ここまでこの言葉をもてあそんでいると、「男はみんな華になれ」という文句が、なんとなく自分のもののような気がしてきた。いいぞ、いいぞ。

⇩そう。そして、この言葉が命令型だからといって、次に来る言葉まで命令型にする必要がどこにあるのだ。バカだなあ、お前は。型にはまるとは、そういうことを言うのだ。だから、応援歌みたいになってしまっていたのだ。

⇩先ず、場所を決めること、何より舞台がなくては役者が動けない。

⇩時を決めること。季節がわからないんじゃ役者の衣装も決まらない。歌そのものが持つ色調が出ない。

⇩それともう一つ。歌を書きながら、常に黛ジュンの顔が目の前にチラチラしていたことも大いにいけない。そんなもの忘れろ。

⇩結局、いい歌を書けばいいのだ。

⇩そんな気分になるまで、こんなに時間がかかるとは、お前も未熟だねえ。

⇩実に人間とは邪念の多いものだ。楽に仕上げたい。早く休みたい。歌手にピッタリ合わせたい。ヒットさせたい。あの人の気に入られたい。そうまでやらなくたって、所詮、歌じゃないか、と歌そのものを書きながら、自分自身がどんどんイヤな人間になってゆく。

⇩といったところで、また考えはじめるとするか。


⇩場所はどこにするか？　メロディは当然、ポップス調のものになるだろう。演歌調の曲がついたら大変だ。「華」が唐獅子牡丹になってしまう。これはまあ冗談だが、——といって、東京というのもイメージが整理されないから、いっそのこと国籍不明にしてしまおうか。パリの北駅あたりでもいい。ローマの終着駅でもいい。

ヨーロッパのとある街。石造りの街。大きな駅。忙しげに歩く人々。

⇩季節は？　これは単純に秋としよう。なぜ？　レコードの発売が八月の末だからという訳ではないが、いや、それもあるが、とにかく、ヨーロッパには秋が一番似合うじゃないか。

⇩秋となれば別離か。類型的だねえ。そう言うな。悲しい悲しい別離があるのだ。

⇩秋の肌寒さの中で、愛のあたたかさを思うのか？　あたたかい愛に出逢うのか？　いや、あたたかさを思う方がいい。ただ、そんな気がする。

⇩男が去ってゆく。そのうしろ姿を見ながら……。

⇩また男の背中かい？　いいかげんにしてくれよ。

⇩いや、今度は違うんだ。男は行ってしまうんだ。

⇩女は追いかけないのかい？

⇩今度の女は追いかけない。ジタバタしない女なんだ。いい女なんだ。

⇩男のうしろ姿に女は、今度は、叫ぶんじゃなくて、つぶやくんだ、「男はみんな華になれ」

って。

⇩それで？

⇩あなたはとても素敵な男だった。あなたほどの素敵な男だもの、それが華でなくてなんだろ
うとつぶやくんだ。

⇩へえ、まだ書く元気あるかい？　いつも最初の意気込みはいいんだけど、できあがるとボツ。

またボツ。今度こそちゃんとやれよ。

⇩今まで書いた歌よりも、言葉のはずみを落とすこと。

⇩情景描写をふやすこと。

⇩なぜ？

⇩ちょっとメランコリックな女の視線を感じたいから。

⇩女の心理をプラスにしたり、マイナスにしたり、あまり動かさないこと。

⇩一本道！　歌はこれがいいのです。

⇩さてと、タバコを一本。

⇩秋のヨーロッパ。パリか。ローマか。ウィーンか。どうだろう？

⇩枯葉が道に落ちている。といって、まだ秋の入口。なぜなら、女の心にはこれから秋がはじまるのだから。

あたたかいあなたの手がはなれると
私の心の中に秋がはじまる
石だたみの上に落ちた枯葉がコロコロと
未練のようにあなたの方へころがってゆく

⇩雰囲気だけはある。

⇩よくわかる。よくわかるはずだ。言葉数が多いもの。

⇩が、情景描写はこまやかにやりたい。

⇩こまかく、こまかく書きながら、自分の気持ちをつくってゆく。

さようなら

⇩とポツリとつぶやかせるか、女に？

⇩よくある手だけれど、その言葉を使わずに、さようならが言えたらその方がいい。

⇩今まで書いた中では、一行もギクリとくる文句がなかった。

⇩誰も今までに言ったことのなかったような、それでいて〝或る種の真実〟のある、そんな文句がほしい。そんな二行があって、初めて、「男はみんな華になれ」が生きてくるのだ。

愛する人を失くしてみると
乳房の重さが急にむなしい

⇩こんなのはどうかな？

⇩おっ、いいじゃないか。

⇩不思議だ。いい文句には説明がいらない。

男はみんな華になれ
あなたのうしろ姿に私は祈る

⇩ほう、今度は祈るのかい？

⇩そう、女の祈りなのだ。

⇩自分の愛した男は、別れたあとも素晴らしい。一度愛したものを永久に愛するということは美しいことだ。

⇩女は祈るのだ。

あなたは私にとって華だった。

男たちよ、あなた方は女にとって華なのだ。

それを忘れてはいけません。

いつ、どこにいても、男は華でなくてはいけません。

私のことなんか忘れてもいいのです。

思う存分、美しく咲いて下さい。

なぜなら、この世界は、あなたのためにあるようなものだからです。

男はみんな華になれ
この世はあなたのためにあるのです

⇩やっと「男はみんな華になれ」という派手な言葉がせつなく響くようになった。

⇩女のイメージも、つつましやかな、聡明そうな、それでいて、美しい肉体を持ったものになってきた。

⇩この辺で、ちょっと気分が楽になる。なんとなく完成しそうな気配がしてくる。この気配というやつは、ほとんど間違いがない。このできそうな気配が来ないうちは決して書けない。書けても失敗作だ。

あたたかいあなたの手がはなれると
私の心の中に秋がはじまる
石だたみの上に落ちた枯葉がコロコロと
未練のようにあなたの方へころがってゆく
さようなら
愛する人を失くしてみると
乳房の重さが急にむなしい
男はみんな華になれ
あなたのうしろ姿に私は祈る
男はみんな華になれ
この世はあなたのためにあるのです

⇩二番では、終着駅でも舞台にしようか?
⇩夜じゃないな。セピアカラーの黄昏どき。
⇩ヨーロッパの駅のあのガランとした、殺風景な感じ。

⇩自分のことにしか関心がないが如くに、われがちに歩いている男、女。人混み。

⇩けたたましいベルの音。

にぎやかな終着駅の人影に
あなたの背中が消えて秋がはじまる
けたたましいベルの音をうつろに聞いてると
セピアカラーの景色がすべて遠のいてゆく

⇩うわあ、無理矢理、字足をそろえたといったところだね。

⇩「終着駅」のところは、二番の方が一音字数が多いから、一番の方を「手」から「指」にかえよう。「終着駅」をつかいたいから。

⇩呆然としている女の前から汽車が遠のいて行く。

⇩女は気が遠くなる。と同時に、セピアカラーの景色がかすんでゆく。

⇩そこでまた、女っぽい、女くさい、セクシイでいて、下品でない、もっともらしい誰もが思いあたるような、いい文句が、二行ほしい。過去になかった文句。一番の言葉にかなわなくてもいいから、匹敵するような。

⇩また、タバコ一本。

あなたの肌をくすぐるために
肩までのばした髪を切りましょう

⇩こんなのどうだろう？
⇩いいじゃないか。字足もそろっている。

男はみんな華になれ
この先どんな女にめぐり逢っても
男はみんな華になれ
ドラマのあなたはいつも主役です

⇩なんとか、峠はこえたようだ。
⇩やれやれ、朝だよ。躰に悪いね。
⇩二番を読みかえしてみようか。

にぎやかな終着駅の人影に
あなたの背中が消えて秋がはじまる
けたたましいベルの音をうつろに聞いてると

セピアカラーの景色がすべて遠のいてゆく
あなたの肌をくすぐるために
肩までのばした髪を切りましょう
男はみんな華になれ
この先どんな女にめぐり逢っても
男はみんな華になれ
ドラマのあなたはいつも主役です

⇩〝青ひげ〟からはじまって、〝青ひげ〟に全く関係ないところまで来てしまった。おかしいもんだねえ、歌を書くってことは。

⇩「蝶々」とか「女王様」とか「七つの部屋」は、いったい、どこへけし飛んでしまったのだ。

⇩しかし、ああいったグズグズした場面があったから、こうなったのかと思うと、あれも無駄じゃなかったのだと思うより仕方がない。

⇩ところで、例によって、しつこく点検してみるか。

⇩ちょっと、字数が多いと思う。

⇩説明がこまやかだけど、作曲家が大変だろう。一行を四小節に入れるとすると、早口言葉になってしまう恐れがある。その場合、せっかく、雰囲気を出そうとしてやってみせたこまかい描写が、逆効果どころか致命傷になってしまう。

⇩一番はともかく、二番の方は特に、字足をそろえるためにくっつけた形容詞が多い。

⇩消してもいい名詞、動詞、形容詞、副詞は何か？

⇩「あたたかい」「心の中に」

⇩「石だたみの上に落ちた」――「石だたみ」はほしいけど、「上に落ちた」とは説明的すぎる。

⇩前の行に「コロコロと」とあるのに、わざわざ「ころがってゆく」はないだろう。

⇩「あなたの方へ」はないいな。

⇩「さようなら」もいらないだろう。

⇩「にぎやかな」を消す。

⇩「終着駅の人影」を「ざわめき」に変えよう。

⇩「あなたの背中が」も「あなた」も同じことだ。

⇩「けたたましい」とまで言わなくてもいいだろう。

⇩「景色がすべて」の「すべて」がきたない。

⇩「愛する人を失くしてみると」より「失くしたあとは」の方がいい。

⇩「あなたの肌をくすぐるために」より「くすぐるための」と言った方がふたりの愛の暮らしの時間が長く感じられる。

⇩そこで整理してみると……。

あなたの指がはなれると
私の中に秋がはじまる
道の上の枯葉がコロコロと
未練のようにあなたを追いかけてゆく

⇩三行目の「石だたみ」が消えて「道の上」になってしまった。これは二番の「ベルの音」の字足にあわせた都合による。

⇩ここまで来たら、「石だたみ」でも、「道の上」でも、どちらでもいいのだ。もう大勢に影響なくなってしまっている。

⇩それなら、いっそのこと「色めきたつ」とやって、色彩感を強めようか。「色めきたつ枯葉」というのも、ちょっと考えればおかしいが、この際、言葉の張りと色彩感で、こうするとしよう。

⇩「ドラマのあなたはいつも主役です」という文句。主格のあなたを上にもってゆくのが、文法上正しいだろう。

「あなたはドラマのいつも主役です」

⇩さて、書きなおしてみるか。

あなたの指がはなれると

私の中に秋がはじまる
色めきたつ枯葉がコロコロと
未練のようにあなたを追いかけてゆく
愛する人を失くしたあとは
乳房の重さが急にむなしい
男はみんな華になれ
あなたのうしろ姿に私は祈る
男はみんな華になれ
この世はあなたのためにあるのです

終着駅のざわめきに
あなたが消えて秋がはじまる
ベルの音をうつろに聞いてると
セピアカラーの景色が遠のいてゆく
あなたの肌をくすぐるための
肩までのばした髪を切りましょう
男はみんな華になれ
この先どんな女にめぐり逢っても

男はみんな華になれ
あなたはドラマのいつも主役です

⇩こんなもんだろう。これ以上はもう書けねえや。

⇩いやもう、すっかり朝だぜ。


歌なんてどこまで行ったって完成しやしない。

筆をおかせるもの。それは、時間切れ。体力切れ。根気切れ。息切れ。

ここまで来ると、この歌が売れたって、売れなくたって、どうでもいいという気分になる。

その時が、一番、うれしい。

第四章　歌の五体とは

起承転結なんて関係ない

歌を書くとなると、すぐ起承転結が大事だと言う人がいる。また、作詩の本など見ると、必ず起承転結を守れと書いてあったりして、ここが「起」で、ここが「承」、そして「転」の部分では感情的にもりあがって、歌は新しい展開を見せるなどと書いてある。

間違いではないのだろうが、歌を書く時、起承転結など考えている人なんかいるのだろうか。そんなもの、人それぞれ呼吸の回数や脈搏の数がちがうように、自分にとって一番気持ちのよいものをえらべばいいのではないだろうか。

音楽の三大要素と言えば、「メロディ」「リズム」「ハーモニー」という。しかし、それだって、当てにならない。「メロディ」だけの歌だってあるだろうし、「リズム」だけの歌だってあるだろう。

起承転結も同じこと、あまり後生大事にこんなものに忠実であろうとすると、がんじがらめになって動きがとれなくなってしまう。

例えば、こういう歌はどうするのか。

酒は涙か　溜息か
心のうさの　捨てどころ

『酒は涙か溜息か』
高橋掬太郎・作詩
古賀政男・作曲

酒は涙か　起
溜息か　承
心のうさの　転
捨てどころ　結

という風に分析するのだろうか。アホらしい。

泣くな妹よ　妹よ泣くな
泣けば幼い　二人して
故郷を捨てた　甲斐がない

『人生の並木路』
佐藤惣之助・作詩

待てどくらせど来ぬ人を
宵待草のやるせなさ
今宵は月も出ぬそうな

『宵待草』
竹久夢二・作詩
西条八十・補作
多　忠亮・作曲

こんなの、どうしたらいいのだろう。

これをいちいち一行目が「起」で、二行目が「承」で、三行目、四行目が「転」と「結」をかねているとか。「転」がぬけて「結」だけになっている例外だと教えてくれる人がいますが、どうにもウソくさい。

じゃ、こんなのは、いったいどうするのだ。

一ツ出たホイノ　ヨサホイノホイ
一人娘とやるときにゃ　ホイ
親の承諾得にゃならぬ　ホイホイ

『かぞえ唄』

古賀政男・作曲

わざと下品な例をあげてみたけど、こういう歌も、やはり「起」「承」「転」「結」をちゃんと考えてこしらえたもんでしょうかねえ？

草と寝て
露にぬれたる果報もって
何が不足で
虫は鳴く

都々逸
柳家三亀松・作詩

この歌なんか、「虫」という主語が出てくるのが、実に最後の行なのだ。その時はもう歌は終わりに近い。何が起承転結だといいたくなるのもわかっていただけると思う。

『ずいずいずっころばし』というわらべ唄がある。あれにも起承転結はあるのでしょうかねえ。どこが「起」で、どこが「転」なのか教えてもらいたい。

薬品の名前ばかりを並べた歌が一時流行ったが、あれだって、起承転結にはまるで関係がない。ズビズバーの『老人と子供のポルカ』だってそうだ。しかし、あれも歌なのです。

歌は、漢詩の起承転結が詩の最大要素と呼ばれるようになる、はるか以前から、この世にあったし、また、その姿のまま生きつづけているのです。

一重組んでは父のため
二重組んでは母のため
三重組んではふるさとの
兄弟我身と回向する
和讃

この歌だって、起承転結にあてはめるのは実にむつかしい。「父のため」が「起」で「母のため」が「承」でと分けることのバカバカしさは誰にだってわかると思う。

そりゃあ、起承転結は、人間の知恵がついに完成した詩の構成なのだから、詩の形をなしたものにあてはめれば、それも無理矢理あてはめれば、大抵、この起承転結におさまるものでしょう。しかし、それは、あとからやってみればそうなることであって、作る人間はそんなこと関係ない。もっと大事なものがほかにあるはずだ。

人生に起承転結があるか。そんなものあるはずない。ありそうな気がして、なんとなくケジメをつけてみたくなるだけだ。人生には目的だってありゃしない。無数の動機があるだけなのだ。動機にケツを押されてウロウロしてる。人生死ぬまでのジタバタ劇。

交響曲の構成は、古典的には四つの楽章に分けられていて、第一楽章はアレグロ、第二楽章はアダージョ、第三楽章スケルッツォ、第四楽章はプレストとか、まあ、例えて言えばそんな風に決められていて、もちろん、これを誰かが決めたわけではなく、いつのまにやら、これが最良なのではないかと、人間の知恵が決めたのでしょうが、それほどまでに大切だとされている交響曲の楽章割りの構成だって、二十世紀に入ったら、そのまま守って作曲する作曲家なんかほとんどいない。交響曲すら、まともに作曲しようなんて思う人ももはやいない。

ましてや、歌ですよ。その歌に、古典芸能の〝お能〟の「序」・「破」・「急」じゃあるまいし、「起承転結」を金科玉条の如くに強制されたんじゃたまりません。

第一、そういう伝統にさからい、古い習慣を破ることから創作がはじまるかもしれないじゃありませんか。

（いつのこと?）
今はもう秋
（どこで?）
誰もいない海
（どんなことがあったの?）
知らん顔して
人がゆきすぎても
（あら、そんなことがあったの?　で、どうするの?）
わたしは忘れない

（なぜ？）
海に約束したから
（何を約束したの？）
つらくてもつらくても
死にはしないと
（あそう、そんなことがあったの。
私にも思いあたる。わかるわあ）

『誰もいない海』
山口洋子・作詩
内藤法美・作曲

同姓同名であるが、詩人の山口洋子さんの作詩です。

（いつ？　どこで？）
学校帰りの森蔭で
（どうした？　どうした？）
ぼくに駆けよりチューをした
（誰が？）
セーラー服のおませな子

（本当かい？）
甘いキッスが忘らりょか
（そりゃあそうだろうよ）

『ドリフのズンドコ節』
なかにし礼・作詩
作曲者不詳

二ツ出たホイノ　ヨサホイノホイホイ
（あっどうした？）
二人娘とやる時にゃホイ
（あっどうする？）
姉の方からせにゃならぬホイホイ
（あっもっともだあ、もっともだあ）

『かぞえ唄』

このカッコの中に書いたような質問にいかに歌が答えてゆくか、ということが一番大切なことなのです。
わからない奴にはわからなくてもいいとか、わからなければよく勉強してから出なおしてこいなどと言って、ふんぞりかえっているわけにはいかないのです。
歌は、それほどのもんじゃないのです。

歌は、唄うという時間の流れの中で、一ツ一ツの質問に優しく、愛情をもって答えてゆかなければならないのです。

底辺のない三角形

歌の作者と、歌と、それを聞く人との関係、即ち、歌が空気中に流れた瞬間にまきおこる出来事。それは、底辺のない三角形なのです。

歌が空気中に流れます。

すると、聞いている人間は歌に対して質問をする。
◆今、なんて言った？
◆へえ、それでどうなったの？
◆うん、俺にも思いあたることだ。
◆何を言いたいのかさっぱりわからねえや。
◆ところで、それがどうしたの？
◆バカバカしい。人をなめるのもいいかげんにしなよ。
空気中に流れる歌は、常に、数多くの人々のこんな質問にさらされているのです。

あまりに、その質問の矢が鋭い時は、歌は逃げ帰りたい気持ちになるでしょう。でも、もうできあがって、空気中に流れた歌は、永久に作者のもとへ戻ってくることはできないのです。

よく、こういう話を聞きます。

画家は偉くなり、年齢をとり、芸術が完成の域に達した時、若年の頃の駄作とか、お金ほしさのあまりに描きちらした若描きを自分の手で買いあつめる。そして、焼いてしまうと。いいですねえ。自分の納得のいく作品ばかりが残るなんて。

歌書きの場合は、こんなことは絶対にできない。

歌を書くということは、ものを言うことと同じ。だから、一度、吐いた言葉は、千人のお巡りさんが追いかけてもつかまえることができないという諺どおり、一度、空気中に流れた歌はもう二度と、作者の手には帰ってこないのです。

ブルックナーという作曲家は、死ぬまで自分の作品に手を入れつづけた人ですが、そんな人が作詩家にいたら滑稽でしょうね。

誰かがその人の書いた歌を唄っている。たまたま、その作詩者がそれを聞いている。

「君、君、君が唄っているのは改訂前の歌詩でしてね。私は一か月前に、そこんところを、こうこうこういう風に改作したのだよ。だから、君が唄った文句は間違いだよ」

なんて言ったりしたら、お笑いでしょう。

作った本人におかまいなく、歌は空気中を流れながれて、どこかへ行ってしまうのです。替え歌にされたり、間違って唄われたりしながら……。そんなことを歌にしたのがシャンソンの『詩人の魂』（シャルル・トレネ・作詩作曲）です。詩人の魂だけがいつまでも空気中に漂っている。いい風景じゃないですか。

一度、世に出た歌は、絶対に、作者のもとへ帰ってくることはできないのです。

だから、世に出た歌が、真っ赤に恥をかいて、立ち往生しないように、様々に気を配って作ることが歌に対する最低限の愛情の表現ではないでしょうか。

絵にかくとこんな風になります。

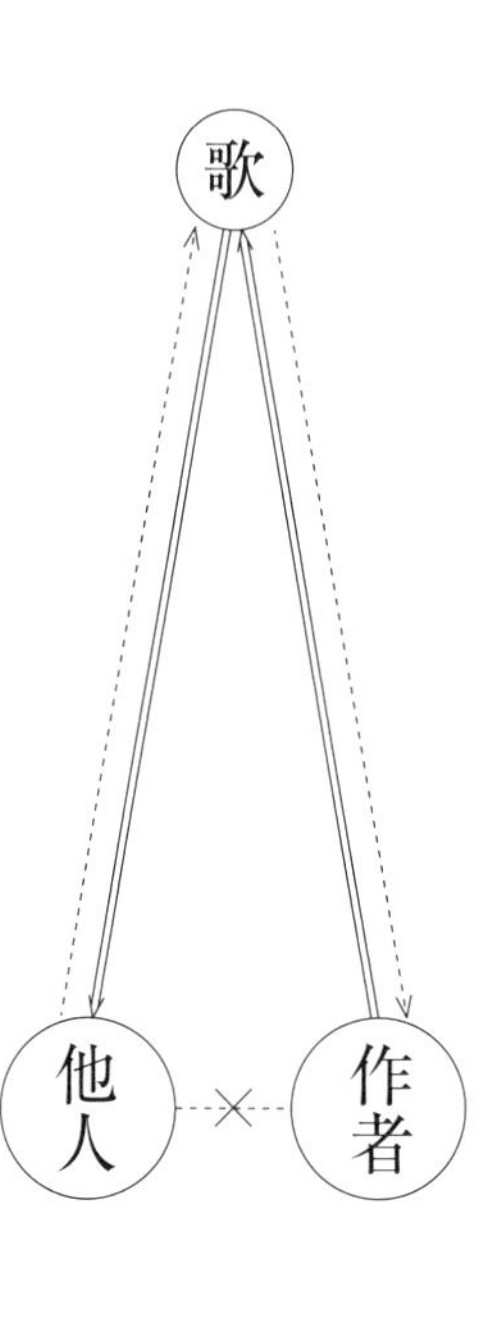

歌が流れます。すると、聞いている人は無意識のうちに、歌に対して質問します。その質問がおっとりとしている場合もあり、鬼検事の審問のように鋭い場合もあります。
◆結局、何が言いたいのだ？
◆女は何もの？　何歳ぐらい？
◆男は？　やくざか？　サラリーマンか？
矢つぎ早に出される質問に、歌は立ちどころに答えてゆかなくてはなりません。

その歌の答えが、嘘もなく極めて自然に上手く行った時、その歌は人々に永く愛される資格を得るのです。

また、質問らしい質問もされないのでは困ります。それは無視されたことになる。

歌がそれらの質問に答えられない時、作者がしゃしゃり出ていって、この言葉の意味はこういう意味のつもりだったとか、こんな気分の時に、涙ながらに書いた歌なのだとか、説明している図ほど阿呆らしいものはありません。

そういう思いはすべて、歌に託して書き込み、できあがった歌は、歌そのものが独立していなくてはなりません。

他人が歌に質問する。

歌は作者に質問する。

作者は歌に答えてやる。

そして、歌は他人に答えをのべる。

作者は「歌」を通してしか、他人と交信する方法はないのです。

作者と他人との間、即ち、三角形の底辺は切断されているのです。

これをつなごうとするやり方、これもよくあることだけど、話題曲とか、ゲテもの企画、孤児院をたずねた時の感動を歌にしたとか、それらのことが歌以前に、人々に説明される時、その歌は邪道に堕しているのです。

歌はつねに、他人の目にさらされ、他人の質問を浴びているのです。いや、質問の集中砲火を浴びているといってよいでしょう。

歌をさらしものにして、立ち往生させては可哀そうです。

どんな質問にも平然と答えられるように、すべての答えを「歌そのもの」の中に入れ込むことが、起承転結より何より大事なことなのです。

そういう歌にとって一番大事なものをきちんと備えているものとして、もっともわかりやすい例が『かぞえ唄』というわけです。

しかし、われわれプロの作詩家は、『かぞえ唄』だって、ロクに書けやしない。

歌の五体とは

歌に限らず、人間が創造する芸術作品には全て五体と五感がそなわっているものです。一つでも欠けると何か物足りない。過剰だと鼻につく。しかし五体と五感は絶対に必要なものです。

歌の五体・五感とはなんのことでしょう。

歌には頭があり、胴体があり、手があり、足があり、顔があり、声があり、心があるはずなのです。

歌の頭

歌には「頭」があります。「頭」には、知性が入っています。

知性というと、大げさですが、人間の知性が納得する要素とでも言いましょうか。
◆上手い言いまわしをするもんだ。
◆そうだったのか、俺は今まで気がつかなかった。
◆まったくその通りだ。
◆すごい人生哲学だな。
と、反応は様々でしょうが、知的な武器で相手をうちのめす力を歌は持っているはずなのです、いい歌という奴は特に。

浜口庫之助さんは、このことをイモ哲学と呼びます。

歌には、イモ哲学がなくちゃいけない、と。

あの先生は、わざとイモなどという言葉をつけて照れてみせますが、哲学と言ってしまってもいいでしょう。


『粋な別れ』

浜口庫之助・作詩作曲

生命に終りがある
恋にも終りがくる

親の血をひく
兄弟よりも

かたいちぎりの
義兄弟

『兄弟仁義』
星野哲郎・作詩
北原じゅん・作曲

花も嵐も　踏み越えて
行くが男の　生きる道

『旅の夜風』
西条八十・作詩
万城目正・作曲

やると思えば　どこまでやるさ
それが　男の魂じゃないか

『人生劇場』
佐藤惣之助・作詩
古賀政男・作曲

とまあ、例をあげると、こういう歌がすぐ思いあたる。
例が古いよ、新しいのはないのかいと言われそうだから、最近の歌から例をあげると、

緑のインクで　手紙を書けば
それはさよならの　合図になると
誰かが言ってた

『メランコリー』
喜多条忠・作詩
吉田拓郎・作曲

真綿色したシクラメンほど
清しいものはない

『シクラメンのかほり』
小椋佳・作詩作曲

知らない街を　歩いてみたい
どこか遠くへ　行きたい

『遠くへ行きたい』
永　六輔・作詩
中村八大・作曲

時には　母のない子のように
だまって　海をみつめていたい

『時には母のない子のように』
寺山修司・作詩

こんなに別れが　苦しいものなら
二度と恋など　したくはないわ

花よ綺麗と　おだてられ
咲いてみせれば
すぐ散らされる

男と女の間には
深くて暗い　河がある

うまれた時が　悪いのか

田中未知・作曲

『女の意地』
鈴木道明・作詩作曲

『怨み節』
伊藤俊也・作詩
菊池俊輔・作曲

『黒の舟唄』
能吉利人・作詩
桜井　順・作曲

それとも俺が　悪いのか

『昭和ブルース』
山上路夫・作詩
佐藤　勝・作曲

赤く咲くのは　けしの花
白く咲くのは　百合の花

『圭子の夢は夜ひらく』
石坂まさを・作詩
曽根幸明・作曲

春には柿の花が咲き
秋には柿の実がうれる

『柿の木坂の家』
石本美由起・作詩
船村　徹・作曲

なんとなく、どれもこれもみんな、当たり前のこと言っているような気がする。一タス一ハ二、二カケル二ハ四と言ってるみたいだ。

事実、そうなのです。

一タス一ハ二、二カケル二ハ四という真理に誰も反対できない。そういう、誰も反対できないようなことを言う部分を歌は持っていなければならないと思うのです。

そういう誰も反対できないイモ哲学、ぼくは〝或る種の真実〟と言いますが、それのない歌はどういう欠点を持つかというと、時代の波を越えられないということです。

いつの時代になっても、二タス二ハ四であり、二カケル二ハ四なのです。

そんな当たり前のことを、いかにして、自分の言葉で表現するか。

それが至難のわざなのです。


歌を書きたい思い、或るテーマをもてあそび、苦悶しているうちついに疲れ果て、歌の「頭」を作り出せないままに、即ち、それだけですでに、五体のない歌を書きあげて人に渡し、レコードにし、ある程度売れてしまう。世の中には、実に「頭」のない知性のない歌がうようよすることになる。ぼくも、沢山、そんな歌を書いた。いけないことをしたと思う。みんな、あとかたもなく消えてしまえばいいと思う。

よく、出だしの二行が書けたら、あとはサラサラとできあがるという話を聞く。

歌の「頭」とは、歌の出だしの部分でもあるのです。

歌の出だしでは、歌を書く人も、歌を唄う人も、歌を聞く人もまだ感情的にたかぶっていないで、冷静でいるから、一番知的な状態なのです。

だから、歌に対して浴びせられる質問も一番厳しい。

だから、ここを〝或る種の真実〟でもって強引にでも切り抜けなければならない。

歌の出だしが書けたら、あとは楽だというプロの作詩家の言葉は、出だしの二行がいかにむつかしいかということなのです。

みんなが知っていることを、あたかも自分だけが知っていた風に言ってみせる。

誰も気づいていなかったことを、自分だけが気づいたつもりになって言ってみせる。

誰もそんな風に思っちゃいなかったんだけど、言われてみればそうかいなと思わせるように言ってみせる。

みんなが言いたくてウズウズしていたものを代表したつもりで言ってみせる。

どこかで見たことのあるような、見たいと思っていたそんな光景を手にとるように描いてみせる。

あざとく言うと、こんなところでしょうか。

知恵の働きが世の中から、見事にえぐり出してきた言葉。

歌を書く時に一番頭をつかうのが、この「頭」の部分なのです。

歌の出だしの部分が、本当に「頭」になっている時、その歌の姿は一番美しい。

しかし、歌は様々です。

出だしに「頭」をつけないで、先ず、感情のたかぶりから入ってゆく方法だってある訳です。

例えば、

愛しちゃったのよ　愛しちゃったのよ　　『愛して〳〵愛しちゃったのよ』

好きよ好きなの　信じているの

浜口庫之助・作詩作曲

『生命のブルース』
木村　伸・作詩
中川博之・作曲

私は泣いています　ベッドの上で

『私は泣いています』
リリィ・作詩作曲

好きだった　好きだった
嘘じゃなかった　好きだった

『好きだった』
宮川哲夫・作詩
吉田　正・作曲

こういう感情のたかぶりから出発した歌は、よっぽどのテクニックがないとどうしても歌の「頭」がなくなってしまいやすい。唄いながら感情が鎮まって、段々、知的冷静さを取りもどすということはあり得ないからです。

また、こんな場合もあります。

歌の出だしが詠嘆的な文句ではじまる時、情景描写ではじまる時。

においやさしい　白百合の
濡れているよな　あのひとみ

『北上夜曲』
菊地　規・作詩
安藤睦夫・作曲

白い花が咲いてた
ふるさとの遠い夢の日

『白い花の咲く頃』
寺尾　智沙・作詩
田村しげる・作曲

いつものように幕が開き
恋の歌うたうわたしに
届いたしらせは
黒いふちどりがありました

『喝采』
吉田　旺・作詩
中村泰士・作曲

これらの歌が、このまま進んでいって知的冷静さを保てるなんてことは考えられません。ですから、こういう歌も、作者によっぽどの計算がないと「頭」のない歌になりやすい。

そこで、感情のたかぶりから出発する歌とか、詠嘆や情景描写から出発する歌は、テーマやドラマそのものに〝或る種の真実〟を求めることによって「頭」をつけるか、「胴」や「脚」の部分に「頭」をつける訳です。

成功すれば、「頭」のある歌になる。

失敗すれば、「頭」のない歌になる。

情景描写が長すぎると「早くなんとかしてくれ」という声がかかってくるでしょう。そんな歌は、ながあい「頭」の歌ということでしょうか。

それにもめげず緊張感を保ち、見事に成功した歌。

貴方は　もう忘れたかしら
赤い手ぬぐい　マフラーにして
二人で行った　横丁の風呂屋
一緒に出ようねって　言ったのに
いつも私が　待たされた
洗い髪が芯まで　冷えて

小さな石鹸　カタカタ鳴った
貴方は私の　からだを抱いて
冷たいねって　言ったのよ

『神田川』
喜多条忠・作詩
南こうせつ・作曲

しかし、世の中には「頭」のない歌が沢山あります。
◎アホらしい
◎バカじゃなかろうか
◎いいかげんにしろ
「頭」のない歌は、こういう「バカ」にむかってつかわれる言葉で愚弄されるわけです。もちろん、作者がバカにされているのです。
ぼくの書いた歌で『知りたくないの』という歌があります。あれなんか、あの「頭」をひねり出したことでのちのちヒットしたとしか思えません。

知りたくないの

あなたの過去など

知りたくないの
済んでしまったことは
仕方ないじゃないの

あの人のことは
忘れてほしい
たとえこの私が
きいても言わないで

あなたの愛が真実(まこと)なら
ただそれだけで
うれしいの

ああ　愛しているから
知りたくないの
早く昔の恋を
忘れてほしいの

なかにし礼・訳詩
ドン・ロバートソン・作曲

歌の胴体

歌には「胴体」があります。

「胴体」には心臓があり、生殖器がある。〝感情〟と〝セックス〟〝欲望〟と〝官能〟があるわけです。

悲しい・つらい・淋しい・苦しい・くやしい・欲しい・逢いたい・抱かれたい・忘れたい・別れたい・別れたくない・うれしい・幸せ・不幸せ、などなど。

歌そのものがもっている情感。そもそも歌を書きたくなった動機らしい感情・情緒、それが歌の「胴体」にあたるわけです。この「胴体」があるから、「頭」があり、「手」や「足」があるのです。

普通、歌を書くというと、この「胴体」だけを書くと思う人が多いようです。

◆まるで歌みたいなことを言うな。

◆歌の文句じゃないけれど。

◆今の気分は歌になる。

という、一般によく言われる言葉にもよく表れていると思う。

「胴体」だけでは歌になりません。なにしろ、心臓と生殖器はあるけど、頭も、手足もないんだから、感情ひとすじです。
しかし、結局は、これが歌の本体なのでしょう。これがなくっちゃ歌になりません。

フランチェスカの　鐘の音が
チンカラカンと　鳴りわたりゃ
胸は切ない　涙がこぼれる

『フランチェスカの鐘』
菊田一夫・作詩
古関裕而・作曲

あきらめた恋だから
なおさら逢いたい逢いたい
もう一度

『夜空』
山口洋子・作詩
平尾昌晃・作曲

どうすりゃいいのさ
思案橋

『長崎ブルース』
吉川静夫・作詩

忘れちゃいやだよ
きまぐれカラスさん

渡久地政信・作曲
『知床旅情』
森繁久彌・作詩作曲

逢わずに愛して
いついつまでも

『逢わずに愛して』
川内康範・作詩
彩木雅夫・作曲

と、はっきり言いきってしまう歌もあるし、そういう感情をグッとおさえて、しかも、にじみ出るようにする方法もある。

わざとおくらす　時計の針は
女ごころの　悲しさよ

『おんなの宿』
星野哲郎・作詩
船村　徹・作曲

飲んで棄てたい　面影が
飲めばグラスに　また浮かぶ

悲しむなかれ　我が友よ
旅の衣を　ととのえよ

昔笑うて眺めた月も
今日は　今日は
涙の　顔で見る

肩を叩いて　にっこりと

『悲しい酒』
石本美由起・作詩
古賀政男・作曲

『惜別の歌』
島崎藤村・作詩
藤江英輔・作曲

『大利根月夜』
藤田まさと・作詩
長津義司・作曲

泣くのじゃないよは　胸のうち

『別れ船』
清水みのる・作詩
倉若晴生・作曲

はっきりと声を大にして言おうと、声に出さずに言おうと、その「調子」は、いずれにしても、この「胴体」がないことには始まらない。

この「胴体」には「感情」があり、「セックス」があります。だから、この部分が大きければ大きいほど、いわゆる歌謡曲という歌に近づくことになり、また、安っぽくもなるわけです。学校唱歌の『春の小川』なんか見て下さい。「春の小川はさらさらゆくよ」としか唄っていないのです。「春が来た」というほのぼのとしたよろこびが、この歌の「胴体」というわけです。

学校唱歌や童謡は、さすがに胸やお尻をキチンとかくしています。

「胴体」の立派な、感情とセックスアピールにすぐれた歌を書くか、「頭」でっかちで、色気のない歌を書くか、それは趣味の問題です。

歌の「胴体」になるものといったら数は知れています。

喜・怒・哀・楽・怨・願・祈・欲・決意・心意気

もっとあるかもしれませんが、愚かなぼくには思いあたりません。

もちろん、このほかに、ある高みに達した〝境地〟というものがあります。しかし、それは俳句とか、ほかの芸術的な詩の世界、即ち、音をつけて唄ったら、たちまち滑稽か失礼になる世界の話でして、歌には、いらないものだと思います。

まあ、こんなもんでしょう。喜怒哀楽、せいぜい十種類ぐらいの情感が歌の「胴体」をつくることになるわけです。

三百六十度の円をえがく、人間の情感の三十六度という広い角度を一つの情感が受けもつわけですから、この「胴体」の部分が、一番、他人と分かちあえる部分、わかりあえる部分ということになるのです。

だから、歌は「胴体」のところになると、やにわに、感情的にもりあがるのです。これは起承転結の「転」とはまるで関係ないのです。

歌には五体があり、五体には胴体があり、胴体には心臓と生殖器があるという、それだけのことなのです。

だから、歌は「頭」の部分が終わり、「胴体」のところへ来ると、突然、円をえがく。人間の情感のうちの一つか二つ、最低、三十六度の角度をもった、多くの人々ともっとも交感しあえる感情的な言葉で迫りはじめるのです。

『君恋し』

君恋し
唇あせねど

こんなにあなたを
愛してるなんて

力の限り　生きたから
未練などないわ

淋しくて淋しくて
とてもたまらぬ朝は

時雨音羽・作詩
佐々紅華・作曲

『再会』
佐伯孝夫・作詩
吉田　正・作曲

『昭和枯れすすき』
山田孝雄・作詩
むつひろし・作曲

『待ちましょう』
矢野　亮・作詩
渡久地政信・作曲

あなただけが　生き甲斐なの
忘れられない

ああ　ああ
あなただけ　好きだから

胸の痛みに　耐えかねて

ああ初恋の
君を尋ねて今宵また

『ラブユー東京』
上原　尚・作詩
中川博之・作曲

『愛のふれあい』
山北由希夫・作詩
小町　昭・作曲

『湖畔の宿』
佐藤惣之助・作詩
服部良一・作曲

『湯の町エレジー』
野村俊夫・作詩
古賀政男・作曲

美しい人生よ　かぎりない喜びよ
この胸のときめきをあなたに

『愛のメモリー』
たかたかし・作詩
馬飼野康二・作曲

悲しくて　悲しくて
とてもやりきれない

『悲しくてやりきれない』
サトウハチロー・作詩
加　藤　和　彦・作曲

とまあ、こうなるわけで、歌から「胴体」だけを取りだしてみると、実にあられもない、恥ずかしいものになってしまいます。人間の体と同じことです。

誰だって思っている。誰だって書けそうな文句。そりゃあそうでしょう。三百六十度の円のうちの十分の一なんですから。

そこで、アマチュアの方たちが歌を書こうとする時、この「胴体」ばかりを書くことになるわけです。

正直に書けばよい、というとなおさら、この「胴体」ばかりを書く。なにしろ、歌を書きたいと思った情感そのものを、なんの恥じらいもなく書くものだから、やたらと「胴体」が大きくなる。気がつくと「頭」がない、「脚」がないということになる。

体をそうむやみに見せるものではありません。それは露出狂というものです。

この「胴体」は大体、歌のサビと呼ばれる部分に来ることが多いが、どこにあったっていいとも言える。あればいい。

しかし、「頭」の次に「胴体」のあるのが、歌の姿としてやはり、一番美しい。

『知りすぎたのね』という歌。あれは多分、「胴体」でもっているのでしょうね。

知りすぎたのね

知りすぎたのね
あまりに私を
知りすぎたのね
私のすべて
恋は終わりね
秘密がないから

話す言葉も
うつろにひびく
嫌われたくなくて
嫌われたくなくて
みんなあなたに
あげたバカな私
捨てられたのね
私はあなたに
いいのよいいの
作り涙なんか

知りすぎたのね
あまりに私を
知りすぎたのね
私のすべて
花から花へ
蝶々が舞うように
ほかの誰かを

恋するあなた
嫌われたくなくて
嫌われたくなくて
みんなあなたに
あげたバカな私
捨てられたのね
私はあなたに
しおれた花が
捨てられるように

なかにし礼・作詩作曲

歌の脚

歌には、「脚」があります。

歌の「脚」とは即ち、歌の終わりの部分、唄いじめ。

水面にひょいと頭を出した歌が、次第に胴体を見せ、手を見せ、へそを見せ、脚を見せてついに終わる。「脚」のあとには何もない。余韻があるだけ。もう逃げ場もなければ、説明もできないのです。あらあら、みんな見せちゃった、というわけです。
◆なんだ、それだけのこと?
◆もっと、どうにかなるのかと思っていた。

◈あまり魅力的じゃないね。

◈脚だけでもきれいだったらねえ。

なんて言われたんじゃ、目もあてられません。

絵のデッサンも、人体の脚が一番むずかしいという。脚を見れば、デッサン力がわかる。歌も同じです。歌の「脚」を見れば、歌のデッサン力がわかります。

プロ中のプロは、なんだかんだといっても、「脚」の部分で形をつけてしまいます。いわゆる年季という奴で、デッサンができているのです。

「脚」が弱いと、ひ弱な歌になります。

「脚」がしっかりしていると、上までしっかり見えてくるものです。

脚力の差とは、このことを言うのかもしれない。

神に願いをララかけましょか
『カチューシャの唄』
島村抱月
相馬御風・作詩
中山晋平・作曲

ましてこころの　花園に
咲きしあざみの　花ならば
『あざみの歌』

昔の名前で　出ています

船は見えねど
別れの小唄に
沖じゃ千鳥も
泣くぞいな

母ちゃんの働くとこを見た
母ちゃんの働くとこを見た

横井　弘・作詞
八洲秀章・作曲

『昔の名前で出ています』
星野哲郎・作詞
叶　弦大・作曲

『出船』
勝田香月・作詞
杉山長谷夫・作曲

『ヨイトマケの唄』
美輪明宏・作詞作曲

わかっちゃいるけど
やめられない

『スーダラ節』
青島幸男・作詩
萩原哲晶・作曲

幸せになってね
私祈ってます

『幸せになってね』
中ひろし・作詩作曲

幸福ぼろぼろ　こぼれるから
寝返り打って　夢ん中

『想い出ぼろぼろ』
阿木燿子・作詩
宇崎竜童・作曲

例をあげたらキリがない。

歌は正しく、この「脚」にむかって進んでいるのです。いい歌は、いい「脚」をしているものです。小股のきれあがった魅力的な脚、そんな脚を書きたいものです。

歌の「頭」が書けたら、あとはサラサラ行くとよく言いますが、多分、どんな作詩家も同じだとは思いますが、この「脚」のところへ来て、はたと立ちどまり、それっきり一歩も進めないということがあるのです。「脚」が書けないと、歌が書けたことにならないことを知っているからです。

いろんな「脚」があります。

■ドンと力強い「脚」

背中(せな)で吠えてる　唐獅子牡丹

『唐獅子牡丹』
水城一狼・作詩
矢野　亮・作詩
水城一狼・作曲

その名も　網走番外地

『網走番外地』
伊藤　一・作詩
タカオ・カンベ・作詩
山田栄一・作曲

■余韻を残す「脚」

消えてゆく　消えてゆく
水のかなたに

『狂った果実』
石原慎太郎・作詞
佐藤　勝・作曲

母さんは泣いていったよ
ふりかえりふりかえりふりかえり

『かるかやの丘』
星野哲郎・作詞
遠藤　実・作曲

■ふっとはぐらかす「脚」

ほんとうはおまえから
別れを言い出した

『やすらぎ』
中山大三郎・作詩作曲

古い傷あとあるからさ
ただそれだけ

■高らかに唄いあげる「脚」

ふたりの心は　変らない
いつまでも

ここに幸あり
青い空

『俺はお前に弱いんだ』
石巻宗一郎・作詩
バッキー白片・作曲

『君といつまでも』
岩谷時子・作詩
弾　厚作・作曲

『ここに幸あり』
高橋掬太郎・作詩
飯田三郎・作曲

■ちょっと不貞腐れる「脚」

なけて涙も　涸れ果てた
こんな女に　誰がした

『星の流れに』
清水みのる・作詩
利根一郎・作曲

どうせカスバの　夜に咲く
酒場の女の　薄情

『カスバの女』
大高ひさを・作詩
久我山　明・作曲

■よびかける「脚」

有楽町で　逢いましょう

『有楽町で逢いましょう』
佐伯孝夫・作詩
吉田　正・作曲

行こう茜にもえて
流れる雲の果てまでも

■なんの疑いもなく決める「脚」

二人のため世界はあるの
二人のため世界はあるの

若い二人の　命を賭けた
真実(ほんと)の恋の　物語

『お前にゃ俺がついている』
大高ひさを・作詩
上条たけし・作曲

『世界は二人のために』
山上路夫・作詩
いずみたく・作曲

『銀座の恋の物語』
大高ひさを・作詩
鏑木　創・作曲

■「頭」がまた出てきて念を押す「脚」

愛する人と　巡り逢いたい
どこか遠くへ　行きたい

『遠くへ行きたい』
永　六輔・作詩
中村八大・作曲

知ってるはずなのに
ふりむいてもくれない

『ふりむいてもくれない』
青島幸男・作詩
小杉仁三・作曲

ベッドで煙草を　吸わないでね

『ベッドで煙草を吸わないで』
岩谷時子・作詩
いずみたく・作曲

涙くんさよならさよなら涙くん

また会う日まで

『涙くんさよなら』
浜口庫之助・作詩作曲

リンゴの　花びらが
風に散ったよな　ああ……

『リンゴ追分』
小沢不二夫・作詩
米山正夫・作曲

■とにかくブルースをうなる「脚」
■ひたすら待ちつづける「脚」
■ひたすらお願いする「脚」
■ひたすら愛している「脚」
■やたらと意気込む「脚」
■やたらとけしかける「脚」
■命令する「脚」
■なんとなくついている「脚」
■意味もないのにありそうに見える「脚」
■落ちのある「脚」

■自分で納得する「脚」

実に沢山の種類の「脚」があります。それをそこに全部並べて分類するのは大変な仕事ですし、ぼくにはできそうもないのでよします。歌の「脚」は相撲の決まり手四十八手ぐらいの数があるんじゃないかな。「よりきり」とか、「押し出し」とか、「うっちゃり」そして「肩すかし」「きりかえし」などそう思って、昔の歌を唄ってみるのも面白い。「脚力の差」もわかります。

みんな去年と同じだよ
けれども足んねえものがある
兄さの薪割る音がねえ
バッサリ薪割る音がねえ

『もずが枯木で』
サトウハチロー・作詩
徳　富　繁・作曲

上手いなぁ。
眼の鱗がとれたような、力みのない、それでいて、肩のこりが一瞬にしてなおるような、催眠術からさめた時のような、気圧の変化で耳がどうにかなっていたのが急に聞こえるようになったような、突然、雲が晴れて陽がのぞいたような、そんな透明な「脚」。

そんな「脚」が一番美しい。

ぼくも随分沢山の歌を書いたけど、「脚」らしい「脚」のない歌も実に沢山書いた。「脚」のない歌は、一人歩きができないから、どっかで立ち往生して、そのまま朽ち果ててしまったにちがいない。

なんとなく、胸が痛む思いがする。

調子にのって、音楽にたよって、歌手にたよって、時代の風潮にのせられて、苦しむべきところで苦しまなかった自責の念が、やはり、ぼくにもある。しかし、もう直すことができない。歌を追いかけてつかまえることはできない。

それほどまでに、歌の「脚」というやつはむつかしい。涙が出るほどむつかしい。

この「脚」の部分に来ると、作詩をしていていつも思う。

ああ、なんで俺は作詩家なんかやっているんだろうと。

陳腐でなくて、安易でなくて、下品でなくて、上品ぶってなくて、力強くて、肩に力が入っていなくて、小粋で、野暮で、わかりやすくて、初めて聞く言葉で、突飛でなくて、意外性がありながら珍奇じゃなくて……大地にふんばっている「脚」。

感情・知性・人情・感覚・官能、それらを一度に納得させる文句。

歌が「胴体」の部分で、あられもなく感情におぼれ、欲望にもだえたあとに来る「脚」、この「脚」がむつかしくない訳がない。

「頭」も大事、「胴体」も大事、この「脚」もまた、歌にとって実に大切なのです。
「脚」がしっかりしている歌は遠くまで歩く。どこまでも歩く。

さて、またここで自作の反省。
『恋の奴隷』の「脚」はなんという技でしょうかねえ。「押し出し」かな?

恋の奴隷

あなたと逢ったその日から
恋の奴隷になりました
あなたの膝に
からみつく
小犬のように
だからいつも
そばにおいてね
邪魔しないから
悪い時は
どうぞぶってね

あなた好みの　あなた好みの
女になりたい

あなたを知ったその日から
恋の奴隷になりました
右といわれりゃ
右向いて
とても幸せ
影のように
ついてゆくわ
気にしないでね
好きな時に
思い出してね
あなた好みの　あなた好みの
女になりたい

あなただけに
言われたいの

可愛い奴と
好きなように
私をかえて
あなた好みの　あなた好みの
女になりたい

なかにし礼・作詩
鈴木邦彦・作曲

歌の手

さて、「頭」と「胴」と「脚」がそろったところで、歌の形は大体できあがりました。ためしに、ほんのおふざけに作ってみましょう。

まずは、もっともらしいことを二行言って「頭」をつくってみる。

めぐり逢うのが人生ならば
別れることも人生さ

てな具合で、まあ、そうおかたいことはおっしゃらず、こんなところで我慢して下さい。

とにかく「頭」はできた。では、「胴体」でちょっと感情を唄いあげてみましょうか。

泣くな　泣くなよ
泣けばおいらも泣けて来る

ちょっとバカバカしい、ひどい文句を書いていますが、お許しねがいたい。試しですから、下手なこと書いた方がアラがめだっていいのです。

さて、「脚」に行きましょう。ここで、うんと考え込んで、何を書こうか？

逢えてうれしい恋だった
真実一路の恋だった

下手くそでゴメンナサイ。でもまあ、読みかえしてみよう。

めぐり逢うのが人生ならば
別れることも人生さ
泣くな泣くなよ
泣けばおいらも泣けて来る
逢えてうれしい恋だった
真実一路の恋だった

つまるつまらないは別にして、とにかく、歌のかたちにはなっています。だが、つまらない。なぜ、つまらないのか。バカバカしいからか。そんなこと言ったら、歌はすべてバカバカしい。では、何が欠けているのか。そうです。この歌には「手」がないのです。

歌には「手」があります。

「手」とは、手で触れられるもの、目をとじても、手でさわればそれが何であるかわかるもの。触覚で判断できるもの。即ち、歌の「手」とは〝物〟のことです。

「手」のない歌は、どこから感情移入していったらいいのかわからない。言葉の言いまわしばかりで、数多くの人間が共通の体験をしたことのある〝物〟がないから、歌の中に入ってゆく入口がないのです。

だから、どんな名文句を並べても「手」のない歌は、魅力のうすいものになってしまいます。やれタバコだ、灰皿だと、最近ではアマチュアの方でも歌を書く時は、ちゃんと小道具をつかうようになりました。プロの作詩家だってこの「手」に関しては苦労しているのです。

みんなが知っている〝物〟を出して、しかも平凡にしないで書くというのはむずかしいものです。

しかし、いい歌はいい「手」をしています。「手」のない歌でいい歌なんか知りません。

一杯のコーヒーから
夢の花咲くこともある

古い日記の　ページには
涙のあとも　そのままに

あなたが噛んだ　小指が痛い
きのうの夜の　小指が痛い

誰がはかせた　赤い靴よ
涙知らない乙女なのに

『一杯のコーヒーから』
藤浦　洸・作詩
服部良一・作曲

『懐しのブルース』
藤浦　洸・作詩
万城目正・作曲

『小指の想い出』
有馬三恵子・作詩
鈴木　淳・作曲

『赤い靴のタンゴ』
西条八十・作詩

古賀政男・作曲

吹けば飛ぶような　将棋の駒に
賭けた命を　笑わば笑え

『王将』
西条八十・作詩
船村　徹・作曲

アカシヤの　花の下で
あの娘はそっと　瞼をふいた
赤いハンカチよ

『赤いハンカチ』
萩原四朗・作詩
上原賢六・作曲

佐渡の荒磯(ありそ)の岩かげに
咲くは鹿の子の百合の花

『ひばりの佐渡情話』
西沢　爽・作詩
船村　徹・作曲

明日からは　ワイングラスも
この灰皿も　なにもかも

折れた煙草の　吸いがらで
あなたの嘘が　わかるのよ

妻と書かれた　宿帳に
しみた涙の　傷あとよ

ひとり暮らしの　アパートで
薄い毛布に　くるまって

『別離』
漣　健児・訳詩
ニーノ・フェラー・作曲

『うそ』
山口洋子・作詩
平尾昌晃・作曲

『熱海の夜』
荒川利夫
藤木美沙・作詩
山岡俊弘・作曲

『弟よ』

橋本　淳・作詩
川口　真・作曲

夫婦鏡にうつし出す
別れの薄化粧

『夫婦鏡』
千家和也・作詩
彩木雅夫・作曲

しかし、みんな上手いもんですねえ。実に、苦労のあともなく、歌に「手」を付けてみせます。ところが、実際は、とてつもなく苦心しているのです。

「頭」で悩み、「胴体」でもだえ、「脚」で考え込み、その「手」で思案する。

あの手この手の　思案を胸に
やぶれ長屋で　今年も暮れた

『王将』
西条八十・作詩
船村　徹・作曲

歌の文句じゃないけれどとは、こんな時に言うのでしょうか。あの手この手と思案のすえに、またまた夜が明けるというのもザラなのです。

しかし、「手」はあくまでも「手」です。こればかりにこだわっていると、また「手」に溺れすぎると、「歌そのもの」が歪んでしまいます。

「手」は効果的につかいたいものです。


プロの将棋さしは、他人が一度さした「妙手」「奇手」は、意地でも自分はささない。もちろん、ほかの棋士がさした「手」はすべておぼえている。だが、彼らは、その他人の「手」を逆転させることに情熱をもやしているのです。

歌書きだって同じです。意地のある作詩家ならきっとそうだと思う。

他人のつかった「手」はつかいたくない。

あの「手」はもう古い。

新手はないか。

と、いつも考えているはずだ。

言葉なんか信じちゃいけない。〝物〟を信じること。言葉でなく、現実を媒介とすること。現実の上で、自分と他人が話をしなくては、歌を書いてる意味がないからです。

歌には、「手」がなくてはいけない。「手」がないと、この〝触覚的表現〟がないと、肌あい、あたたかみ、ふれあい、情など、理屈をこえた説得力を失います。

「手」のない歌は、他人と手をつなぐことができない。

『人形の家』というあの歌に、もし「人形」という一言がなかったら、と思うとゾッとする。

人形の家

顔もみたくない程
あなたに嫌われるなんて
とても信じられない
愛が消えたいまも
ほこりにまみれた
人形みたい
愛されて
捨てられて
忘れられた
部屋のかたすみ
私はあなたに
命をあずけた

あれはかりそめの恋

心のたわむれだなんて
なぜか思いたくない
胸がいたみすぎて
ほこりにまみれた
人形みたい
待ちわびて
待ちわびて
泣きぬれる
部屋のかたすみ
私はあなたに
命をあずけた
私はあなたに
命をあずけた

なかにし礼・作詩
川口　真・作曲

歌の目

「頭」と「胴」と「脚」だけで書いてみた歌が、いかにつまらないかということは証明しました。「手」がなくては、やはり五体と五感のある歌とはいえない。それもわかってもらえたのではないか。しかし、その「手」のない歌なのに、見事に成功している歌があるのです。もちろん、名作の一つですが、名作と言われる歌のなかで、「手」のない歌はこの歌だけです。

じゃ、「手」がないのに何があるか。「目」があるのです。

目に見える光景がある。そして、さすが佐藤惣之助です。「とめるな」という動詞をつかって、動こうとする男をとめようとする何物かの「手」を意識させている。

もし、最後の一行がなかったら？　それは、多分、佐藤惣之助の作品じゃないでしょう。

やると思えば　どこまでやるさ
それが　男の魂じゃないか
義理がすたれば　この世は闇だ
なまじとめるな　夜の雨

『人生劇場』
佐藤惣之助・作詩
古賀政男・作曲

歌には、「目」があるのです。

「目」とは、目に見えるもの。光景、情景、舞台、視覚的表現。

歌に「目」が必要なために、みんなが「雨」だの、「夜霧」だの、「波止場」だのという言葉をつかうのです。

これをバカにする人がいます。そんな人だって、一つの歌を好きになる時には、その歌の「目」から、歌の中へ入って、好きになっているものなのです。

人は、歌の「目」という、この穴から中をのぞくのです。のぞくと中には、自分も一度や二度見たことのあるような、見たいと思っていたような風景・世界がひろがっているのです。

磯の鵜の鳥や　日暮れにゃかえる
波浮の港にゃ　夕やけ小やけ

『波浮の港』
野口雨情・作詩
中山晋平・作曲

山の淋しい　湖に
一人来たのも　悲しい心

『湖畔の宿』
佐藤惣之助・作詩
服部良一・作曲

小倉生まれで　玄海育ち
口も荒いが　気も荒い

『無法松の一生』
吉野夫二郎・作詩

粉雪まい散る　小樽の駅に
ああひとり残して　来たけれど

古賀政男・作曲

『小樽のひとよ』
池田充男・作詩
鶴岡雅義・作曲

青い夜霧に　灯影があかい
どうせ俺らは　ひとり者
夢の四馬路か　ホンキュの街か

『夜霧のブルース』
島田磐也・作詩
大久保徳二郎・作曲

並木の雨の　ささやきを
酒場の窓に　ききながら

『雨の酒場で』
清水みのる・作詩
平川浪竜・作曲

友と語らん
鈴懸の径

『鈴懸の径』
佐伯孝夫・作詩
灰田有紀彦・作曲

森と泉に　かこまれて
静かに眠る
ブルー　ブルー　ブルー・シャトウ

『ブルー・シャトウ』
橋本　淳・作詩
井上忠夫・作曲

銀杏がえしに　黒繻子かけて
泣いて別れた　すみだ川

『すみだ川』
佐藤惣之助・作詩
山田栄一・作曲

『目』の歌として決定的なのがある。

じっとやさしく　あなたの目が
何か云いたそうに
私を見てるの
それだけで　とてもうれしい

『何も云わないで』
安井かずみ・作詩
宮川　泰・作曲

湖・海・駅・径・夜霧の街・酒場・城・川・アパート・マンション、いやあ、みなさん努力してます。涙ぐましい努力を。


歌に「目」はぜったいになくてはなりません。

どこで。どんな状態で。そこに何があった。どんな色の。どんな風に見えたのか。

しかし、人間の置かれる状況というものは、そう突飛なことばかりとは限らない。突飛な経験をそのまま書いたって、わかってもらえない。突飛な経験なんだけど、月並みな舞台にうつす。月並みな経験だけど、一風変わった舞台で唄う。様々な方法があるわけですが、「目」が見ているものは、舞台です。

舞台がなくっちゃ、どんな名優が、どんな衣装をつけて、どんな台詞をもらおうと、芝居にはならないのです。

人生というながったらしい舞台から、ほんのひとときを切り抜いてきてみせる。舞台がある。セットの大道具がある。書き割りの桜が咲いている。ホリゾントの空には雲が流れている。そこで初めて芝居が始まるように、歌にも舞台が必要なのです。

しかし、これがまた問題でして、まるで住宅難みたいに歌の舞台はみつけるのがむつかしいのです。

だが、むつかしいからといって、避けて通るわけにはいかないのです。歌に「目」がないと、実に冷たい、とりすました、あなたたちとは住む世界がちがうわよと言ってるような、とりつく島のないものになってしまいます。

歌の「目」は、他人がのぞくのぞき穴。

月並みといわれようと、やっぱり流行歌じゃねえかと言われようと、恥じらいもなく、心を鬼にして、歌の「目」は書かなくてはいけない。

そこで工夫するのが、努力の人なのです。

かくしておくれ　夜霧　夜霧
僕等はいつも　そっと言うのさ
夜霧よ今夜もありがとう

『夜霧よ今夜もありがとう』

浜口庫之助・作詩作曲

歌には「頭」がある、「胴体」がある。「脚」がある。そして、「手」があり、「目」がある。五体と五感がある歌が書けた時、初めて、その歌は、堂々と世に出てゆけるのです。

歌と作者と他人、その三点を結ぶ三角形、その底辺の切断された三角形の一辺である作者と、人々の間に交信のないのがなんら不安でなくなるのです。

しかしまあ、そんな時はめったにない。書きあげた歌に注釈をつけたり、強引に押しつけたり、レコーディングで歌手をいじめて、なんとか作品の欠点をカバーしようとしたり、そんなことは数知れず、今なお、ぼくもやっているのです。

歌には「頭」「胴体」「脚」「手」「目」があるだけでない。もう、お気づきと思うが、無論、聴覚の「耳」もあり、嗅覚の「鼻」、味覚の「口」もあるのです。

それらのものが、混然となって、鳴り響く歌があってもよいと思って書いてみた歌がある。

石狩挽歌

海猫(ごめ)が鳴くから
ニシンが来ると

赤い筒袖（つっぽ）の
ヤン衆がさわぐ
雪に埋もれた
番屋の隅で
わたしゃ夜通し
飯（めし）を炊く
あれからニシンは
どこへ行ったやら
破れた網は
問い刺し網か
今じゃ浜辺で
オンボロロ
オンボロボロロ
沖を通るは
笠戸丸
わたしゃ涙で
にしん曇りの
空を見る

燃えろ篝り火
朝里の浜に
海は銀色
ニシンの色よ
ソーラン節に
頬そめながら
わたしゃ大漁の
網を曳く
あれからニシンは
どこへ行ったやら
オタモイ岬の
にしん御殿も
今じゃさびれて
オンボロロ
オンボロボロロ
変らぬものは
古代文字

わたしゃ涙で
娘ざかりの
夢を見る

なかにし礼・作詩
浜　圭介・作曲

歌の声

歌には「頭」があり、「胴」があり、「脚」があり、そして、「手」があり、「目」があり、おまけに「耳」も「鼻」も「口」もある。だが、もひとつ、忘れちゃいけないものがある。それは歌の「声」である。

歌には「声」があります。
声とは、歌手の声ではない。曲の音階でもなければ、歌のサウンドでもない。
歌の「声」とは、歌の〝調子〟のことなのです。
◆大群衆を圧倒するような大音声をはりあげる歌なのか。
◆大群衆に聞き耳をたてさせ、気をひくように語りかける歌なのか。
◆一人の人の耳もとにささやきかける歌なのか。
◆すすり泣きの嘆きの歌なのか。
◆怒りをこめた訴えの歌なのか。

◆あきらめきった心境の歌なのか。
◆よろこびにはずむ心の歌なのか。
それが決まっていないと、歌の〝調子〟が決まらない。
歌の「声」があって初めて、です言葉で書くのか。やくざ言葉で書くのか。名詞止めにするのか。動詞の終止形止めで書くのか。女言葉で書くのか、男言葉で書くのか。ということが決まるのです。決まるというよりも、「声」に忠実に耳をすますと、自然に決まってくるといっていいでしょう。
さまざまな歌の〝調子〟というものは、詩の段階で決まってしまうのです。この〝調子〟がととのっていないと、作曲家は作曲にとりかかれないでしょう。

はるばる来たぜ　函館へ

『函館の女』
星野哲郎・作詩
島津伸男・作曲

この歌の〝調子〟は、この出だしの一行で決まっている。

帰ろかな帰るのよそうかな

『帰ろかな』
永　六輔・作詩

中村八大・作曲

この揺れ動く心理を大上段に唄いあげたのでは気持ち悪くなるでしょう。

おーい　中村君
ちょいと待ちたまえ

『おーい中村君』
矢野　亮・作詩
中村忠晴・作曲

泣くなよしよし　ねんねしな
山の鴉が　啼いたとて

『赤城の子守唄』
佐藤惣之助・作詩
竹岡信幸・作曲

これはもう理屈ぬきですねえ。

まこ……
甘えてばかりでごめんネ

みこは……とっても倖せなの

『愛と死をみつめて』
大矢弘子・作詩
土田啓四郎・作曲

この詩に、速いテンポとか、激しいリズムで作曲して、大きな声で唄うなんてことができるはずがない。

歌のもっている「声」は、歌がまだ一行も書かれていない時から、もう決まっているものなのです。

唄いたい。歌を書きたい。思いだけはある。だが一行も書けない。

え？　いったい、どんな気分なんだい。

なんかワァッと叫びたい気分なんだ。

ひざに甘えて泣きたい気分なんだ。

一人一人道ゆく人をつかまえて、耳の穴ほじくって言ってやりたい気分なんだ。

みんなで、腕を組んで唄いたい気分なんだ。

羽がついて空を飛ぶような気分なんだ。

そんな時、言葉のない声を発してみるといい。それが歌の「声」なのです。言葉以前のものなのです。

歌の「声」というのは、ごらんの通り、歌を書く前から、作者の中にあり、歌が書きあがるまで持続しなければならない。
これが途中で狂うと、調子が狂うということになる。〝破調〟というやつです。しかし、歌の「声」ということを知っていると、その〝破調〟さえテクニックとしてつかうことができるのです。

あなただけが生きがいなの
お願いお願い捨てないで
テナコト言われて
その気になって
三日とあけずにキャバレーへ
金のなる木があるじゃなし
質屋通いは序の口で
退職金まで前借りし
貢いだあげくが
ハイそれまでよ

『ハイそれまでヨ』
青島幸男・作詩
萩原哲晶・作曲

これは典型的な例です。

ここまで、極端なのはともかくとして、この歌の「声」というものに、可能な限りの神経をつかうことによって、詩の流れが微妙にうつりかわり、それによって曲も調子を変えてゆくという最も素晴らしい例をお見せしましょう。

雪の降る町を雪の降る町を
思い出だけが通りすぎてゆく
雪の降る町を
遠い国から落ちてくる
この思い出をこの思い出を
いつの日か包まん
あたたかき
しあわせのほほえみ

『雪の降る町を』
内村直也・作詩
中田喜直・作曲

三行目の「雪の降る町を」のところで、作中の人物は歩くことをやめる。立ちどまり、上を見る。

降りくる雪の数ほどの思い出。ひきずって歩いてきた、かずしれない思い出が降ってくる。みんな自分のものなのだ。それが悲しいばかりのものではない、と思った瞬間、音楽の方も、「遠い国から……」のところで、短調から長調へ転調する。

実に快い、自然な、味わい深い「転調」です。

歌の終わりで、作中人物は、雪の降る町に立ちどまり、空を見上げ、顔に降りかかる無数の雪のことも気づかぬげに、やわらかなほほえみをうかべている。

いい歌だなあ。

も一つある。見事な「転調」の歌。

作中の人物は、生きるという生々しい行為というか、生活の実感とでもいおうか、そんなものの美しさに見とれて、ひととき心がなごみ、かすかな笑顔さえうかべる。

そこで音楽も長調に転調する。そして、また短調へ。

だが、やはり、悲しみはつきあげてくる。悲しみは雨のごとく小止みなく降りつづく。

いい歌だ、泣けてくるよ。

雨はふるふる　城ヶ島の磯に
利久鼠の　雨がふる

雨は真珠か　夜明けの霧か
それとも　私の忍び泣き
舟はゆくゆく　通り矢のはなを
濡れて帆あげたぬしの舟

ええ　舟は櫓でやる
櫓は唄でやる
唄は船頭さんの心意気

雨はふるふる　日はうす曇る
舟はゆくゆく　帆がかすむ

『城ヶ島の雨』
北原白秋・作詩
梁田　貞・作曲

今の二曲は、日本の歌曲じゃないかと言う人がいるかもしれない。ポピュラーなヒット曲にだって、素晴らしい転調の例がある。岩谷時子と弾厚作の作った『旅人よ』、星野哲郎と米山正夫の作った『三百六十五歩のマーチ』実に見事なものだ。

美人だけど声が悪い、という言葉があり、しょうがないでしょう、声のでかいのは生まれつきなんだからという、ひらきなおりもある。しゃがれた声、すえた声、下品な声、やわらかい声、ダミ声、鈴をふるわす声、あたたかい声、すきとおった声……。

いろんな声がありますが、声が一番、その人自身をあらわしているのではないでしょうか。

どんなに若々しい衣装をつけ、美しく化粧を仕上げて、立派なセリフを言ったとしても、声だけはかえるわけにはいきません。

声は、その人そのものとも言えるのです。

歌の「声」。

これが、実は、一番こわいんです。

嘘を書くと、どうしても、歌の「声」に出てしまう。〝調子〟をつくろうとしても、どうも型にはまってしまう。声をかえようとすると猫なで声になる。いやらしい。

本当の思いがあって、本当に心から、腹の底から湧いてきた声でないと、自分で自分がイヤになる。

歌を書くということは、自分自身がイヤになる瞬間のなんて多い作業なんだろうと思う。そんな作業から生まれた歌は、空気中をほんのつかの間漂ったかと思うと、すぐに落ちて泥まみれになり、踏みつけられる。そこでまた、自分がイヤになる。

自分の声で唄うこと。

本当の声を出せば、言葉がなくたって、相手に何かはつたわるものだ。

そう思うと、歌を書く時、ホッとする。考えはじめるのはそれからでいい。

ぼく自身が書いた歌の中で、一番自分らしい声で書いた歌ってなんだろう。

あれは作詩家になるはるか以前にひとり言のように書いた歌だから、多分、あれかな。よくわからない。まだまだ書くつもりだから。

今日でお別れ

今日でお別れね
もう逢えない
涙を見せずに
いたいけれど
信じられないの
そのひとこと
あの甘い言葉を
ささやいた
あなたが
突然さようなら

言えるなんて

最後のタバコに
火をつけましょう
曲ったネクタイ
なおさせてね
あなたの背広や
身のまわりに
やさしく気を配る
胸はずむ仕事は
これからどなたが
するのかしら

今日でお別れね
もう逢えない
あなたも涙を
見せてほしい
何も言わないで

気安めなど
こみあげる涙は
こみあげる涙は
言葉にならない
さようなら
さようなら

なかにし礼・作詩
宇井あきら・作曲

歌の顔

さて、最後は、歌の「顔」です。「顔」とは、歌のタイトルです。

タイトルを念入りにつけるのも結構だが、それが「胴体」や「脚」にそぐわないものであっては困るのです。

しっかりした五体の歌に、いい顔。こう来れば最高です。

しかし、歌の「顔」はむずかしい。

歌の「頭」の一部が「顔」であるという、人間の体と同じようなことが起きれば一番素晴らしい。だが、実際には、歌の「胴体」の一部が「顔」になったり、「脚」が「顔」になったりとさまざまです。

そうかと思うと、「頭」にも「胴体」にもない言葉が、「顔」になったりします。

■「頭」のてっぺんが「顔」になっている歌

啼くな小鳩よ　心の妻よ
なまじ泣かれりゃ　未練がからむ

『啼くな小鳩よ』
高橋掬太郎・作詩
飯田三郎・作曲

山口さんちのツトム君
このごろ少し変よ

『山口さんちのツトム君』
みなみ・らんぼう・作詩作曲

■「頭」の一部が「顔」になっている歌

まぼろしの
影を慕いて　雨に日に

『影を慕いて』
古賀政男・作詩作曲

格子戸をくぐりぬけ
見上げる夕焼けの空に
誰が歌うのか　子守唄
わたしの城下町

『わたしの城下町』
安井かずみ・作詩
平尾昌晃・作曲

■「胴体」の一部が「顔」になっている歌

言っているいる　お持ちなさいな
いつでも夢を　いつでも夢を

『いつでも夢を』
佐伯孝夫・作詩
吉田　正・作曲

くちなしの花の　花のかおりが
旅路のはてまで　ついてくる

『くちなしの花』
水木かおる・作詩
遠藤　実・作曲

■「脚」の上の部分が「顔」になっている歌

君からお行きよ　ふりむかないで

『君からお行きよ』
有馬三重子・作詩
笠井幹男・作曲

二人でお酒を
飲みましょうね　飲みましょうね

『二人でお酒を』
山上路夫・作詩
平尾昌晃・作曲

■「脚」の下の部分が「顔」になっている歌

帰り来る日を　ただそれだけを
俺は待ってるぜ

『俺は待ってるぜ』
石崎正美・作詩
上原賢六・作曲

『十三夜』
石松秋二・作詩
長津義司・作曲

懐しいやら　嬉しやら
青い月夜の　十三夜

とまあ、歌の五体の中から、一字も言葉を変えずにそのまま「顔」にできる場合は幸せだ。そりゃあもう、苦労しますよ。

タイトルを決めないうちは書き出さないという人もいますが、そんなに段取りよく行くもんですかね。ぼくなんか、書いてみなけりゃわからない。やってみたからできるってもんでもない。タイトルが決まっていたって、書いてるうちにタイトルが邪魔になったり、かわってしまうことだってある。何が何やらさっぱりわからないところで、唄いはじめてしまう。キッカケなんかなんでもいい。どんなバカバカしいキッカケであったってかまわない。とにかく唄いはじめてしまう。キッカケがバカバカしいからといって、結果もバカバカしいとは限らないからです。

とりあえず、どこからでもいいといった調子で壁を手さぐりして扉をさがし、真っ暗闇を歩き歩いて、やっと外へ出てホッとため息をつく、遊園地の迷路遊びにも似ているし、また、水に飛び込んだ人間がなかなか水面に顔を出さないので、陸の上にいる人たちが心配してキョロキョロとさがしまわり、あげくの果ては、水にむかって声までかけたりしている時、まるで関係ないような遠いところにポカリと顔を出す、その飛び込んだ奴、そいつは、何やら獲物らしきものを手に持っている。そんなもぐり遊びにも似ているような気もする。

だから、タイトルをじっくりと考えて、それから、歌を書きだすなんてことはしなくていいと思う。タイトルを考えているうちに、緊張感がどこかへ飛んでいったり、息切れがしたり、肝心の歌の方が書けなくなってしまう時だってあるからだ。

いい歌ができあがれば、いい五体の歌ができあがれば自然にいい「顔」がつくもんなんです。人間の人柄がついには顔に出るように、歌の「顔」も自然ににじみ出るものだと思う。

出会い系サイトの写真とか、お見合い写真、もしくは、昔の遊廓の格子窓じゃあるまいし、顔ばっかしごてごてと飾りたて、めかし込んだって、仕方あるまい。

顔のつくりは良くても、イヤな奴もいるし、味の悪い女もいる。

問題は、「歌そのもの」なのだ。

いい「顔」をした歌も沢山あるが、わけのわからない「顔」の歌も沢山ある。

苦しみにゆがんだ「顔」もある。

「顔」が悪くても、中身がよければいい顔であり、「顔」ばかりがよくて、中身がひどけりゃ羊頭狗肉だ。
◆映画の題名からいただく「顔」
◆小説や戯曲の題名からいただく「顔」
◆講談や浪曲からいただく「顔」

◆依頼された時から決まっている「顔」
◆なんとなく漠然とつける「顔」
◆「顔」をとっちゃうとなんの歌やらさっぱりわからなくなっちまう説明的な「顔」
いろんな顔があるが、とにかく、「顔」はついていりゃいいというのがぼくの本音だ。

だって、そうでしょう。

男＝いい歌おそわったんだけど、おしえてあげようか。

女＝うん、唄って。

男はそこで唄いだす、唄い終わって――。

女＝いい歌ねえ、なんていう題名？

男＝あ、わすれた。とにかく、こういう歌なんだ。いいだろう？

女＝いいわ。すてきね。

歌のタイトルなんて、本来その程度のもんだと思うんですが、なにせ、歌は商品になるもんですから、商品名としてみんな色気を競うことになるわけです。

そこで、いいタイトルなんだが、中身が今一つ面白くないとか、この作品にいいタイトルがついたら鬼に金棒だとかいうことが起きてくる。

誰もが悩んでいるものと思うが、このタイトルに関しては、作曲家も口を出すし、レコード会社も、音楽出版社も、プロダクションも口を出す。よってたかって芸者さんのお披露目の日の顔の化粧について、女将さんやら、姐さんたちが口を出すのと実によく似た現象が起きる。もう作った本人なんかあっちへ行けってなもんです。

『心のこり』という歌のタイトルなんか、ぼくのいないコロムビアレコードの会議で決められてしまった。まさか「私バカよね」ってわけにもいかず、ほったらかしておいたら、みんなが化粧してくれたってわけです。それでもいいんです。

先輩の岩谷時子さんなんかも、「どうぞ、そちらでお好きなように」と言ってタイトルとなると、とたんに情熱を失った顔をする。もちろん、タイトルなんかたちどころにできるような素敵な歌を書くことには、メガネをふきふき夜を徹しているにちがいない。が、商品名となると、これはもう創作意欲の対象じゃなくなってしまうのです。

歌そのものに個性があるなら、個性的な「顔」になる。歌に個性がないと「顔」も平凡になる。ただそれだけのことです。

そしても一つ、いい歌だといい「顔」に見えてくる。

とはいえ、ぼくも作詩家ですから、他人よりいい「顔」の歌をつくろうと努力する。

「顔」には「目」もあり「口」もあり、「鼻」もある。それらの感覚を一度に全部とは言わないまでも、できるだけ多く説得するようなタイトル、興味をひくようなタイトルを懸命に考えます。

だが、そんな時、つくづく思う。こんなに俺を悩ませるような歌は、歌そのものがつまらないからじゃないか、と。大体、そうです。そこで書きなおせばいいものを書きなおしもやらず、なんとか、無理矢理「顔」にゴテゴテ化粧をほどこして送りだしてやる。そんなことも随分やった。

しかし、成功したためしは一つもない。また、他人が、歌を書いた本人よりもいいタイトルを思いつくってこともないんです。

歌を書くために、とにかく水にもぐった時間がある。その時間の〝重さ〟がある。その〝重さ〟そのものを知らずに、他人がいいタイトルなんて思いつくはずがないのです。もし、できたとしても、それはその歌のためのものでなくて、商品としての歌のタイトルなんでしょう。

結局、自分がやらなくてはならない。タイトルなんかに苦労するのがイヤだったら、そういう苦労をしなくてもいいような歌を書けばいいということになる。

ピーターという美少年がいた。

男でもあり、女でもある少年。男でもない、女でもない少年。不思議な生きもの。

男—男性名詞—太陽（ル・ソレイユ）、朝（ル・マタン）……

女—女性名詞—海（ラ・メール）、夜（ラ・ニュイ）……

男と女のあいだをゆれ動く生きもの。

『夜と朝のあいだに』という歌も、タイトルも、こんなことからフワリとできた。

夜と朝のあいだに

夜と朝のあいだに
ひとりの私

天使の歌をきいている
死人のように
夜と朝のあいだに
ひとりの私
指を折ってはくりかえす
数はつきない
遠くこだまを
ひいている
鎖につながれた
むく犬よ
お前も静かに眠れ
お前も静かに眠れ

夜と朝のあいだに
ひとりの私
散るのを忘れた
一枚の花びらみたい
夜と朝のあいだに

ひとりの私
星が流れて消えても
祈りはしない
夜の寒さに
たえかねて
夜明けを待ちわびる
小鳥たち
お前も静かに眠れ
お前も静かに眠れ

なかにし礼・作詩
村井邦彦・作曲

起承転結なんて関係ない。

歌は底辺のない三角形である。

五体と五感がそなわった歌を書きたい。

と、ながながと書いてきた。

さて、できた。

底辺のない三角形は、もちろん満たしている。「頭」もある、「胴」もある、「脚」もある、「手」もある、「目」もある、「口」も「鼻」も「耳」もある。「顔」も付いた。

すべてはそろった。

だから、それでいいか、というとそうはいかないのです。

歌には、まだほしいものがある。

「顔」にはチャームポイントのホクロや、えくぼがあった方がいい。歌そのものには、セールスポイントのへそがなくちゃならない。へそがなくっちゃ、のっぺらぼうの蛙のおなかになってしまう。

ただし、チャームポイントとセールスポイントだけの歌、そんなもの歌でもなんでもありはしない。タレントという商品をつつむための包装紙でしかない。

でも、もうこの辺でやめよう。

第五章　訳詩とはめこみ

四種類の訳詩パターン

訳詩も随分と沢山やった。

本来、ぼくは訳詩から歌に入った方だし、訳詩が好きらしい。

音を聞きながら、原詩を読んでいると、なんとも言えないファイトが湧いてくる。そして、日本語という、この母音の多い言葉、この大好きで大切な言葉に、外国語の意味やニュアンスをうまいぐあいに移しかえた時の快感。ひとりでニヤニヤ笑ったりして……。

子供がオモチャとたわむれていて、そのうちこわしてしまい、また、たんねんに元通りにつくってゆく、そんなコリ性と愛情がないと、訳詩なんてものはできません。

そして、音楽が好きでないとね。音の流れの中に身を沈めて妄想する癖(へき)がないと、訳詩にはむかないのではないでしょうか。

訳詩なかにし礼と書かれて、うれしい時があり、訳詩なかにし礼と書かれて、うれしくない時があります。

一般には、先に曲があったのだから、あとでつけた歌詞は当然、訳詩だろうと決めてかかりたい気分らしいが、書いた方にしてみれば、そんなことは一向にあずかり知らぬことであって、原詩に関係ないものは、音が先にあろうとなかろうと、書いた本人のものだとぼくは思っています。

例えば、『知りたくないの』という歌がある。

あれは訳詩です。

なぜなら、ぼくは原詩をくりかえしくりかえし読んで、どうやったら、この原詩を日本人の心にうつしかえることができるだろうかと、悩んだ末に書いた詩だからです。

『別れの朝』という歌がある。これは絶対に作詩です。

なぜなら、ドイツ語の原詩も、英語になった訳詩も、ぼくはなんの刺激もうけなかったし、事実、なんてつまらない詩がついているんだろうと思い、こんな素晴らしいメロディにはひどすぎると自惚れて書いた詩だからです。

原詩のどこにも、ほんのちょっぴりも触れているところがないのです。だから、この歌を訳詩と言われると不納得な気分になります。

『サバの女王』という歌がある。

これは、いったいなんでしょう。訳詩でしょうか、作詩でしょうか。とにかく、原詩というものがないのです。ただ、あまりにもメロディが美しくて、口ずさんでいるうちに、あの詩ができあがってしまった。これは、原詩がないのだから、原曲を訳したというべきでしょうか。

でも、これも、作詩のうちでしょうね。

そして、も一つ『ANAK（息子）』という歌があります。

これはもう、完全に訳詩です。訳詩と書かれなかったら怒りたいほどの訳詩です。原詩が一行で言ってることをいかに一行の日本語にするか、しかも唄いやすく。これだけを最後まで忠実にやった仕事だからです。

以上のべたように、訳詩と一口に言っても四種類のパターンがあります。

①原詩の気分、雰囲気を日本人の心にうつしかえる方法

②原詩を無視して、オリジナルの詩をはめ込む方法

③原曲に詩がなくて、勝手に日本語をのせる方法

④原詩を（できるだけ）忠実に日本語にうつしかえる方法

こまかく分類したら、もっと沢山の種類になるのでしょうが、ま、この四つの方法が主なものでしょう。どれがいいか悪いかは、判断できません。所詮は、歌なんですから。親しまれない歌は悪い歌なのかもしれないし、人に愛されたら、それでいいのかもしれない。

と言って、それだけですまされない何かがあるのではないかとも思っています。

「忠実」な訳詩の七原則

ぼくは、十九の年から訳詩をはじめました。

シャンソンを聞いて、その素晴らしさに感動する。しかし、日本人が同じシャンソンを日本語で唄うと、まるで、原詩の良さがつたわってこない。これは、いったいどういうことなのだ。そ

れでは、いっちょう俺がやってやるか、という若き自惚れがぼくに訳詩をはじめさせました。

そうやって、十九歳から二十五歳まで、ぼくが試みたおよそ八百曲はほとんど④のパターンに属する仕事でした。上手い下手はともかく、精神は、「忠実」だったのです。

ですから、まず④について語りたいと思います。

こういう訳詩の場合には、七つの原則があります。

原則っていったって、どうせ完全に守れやしない。守れないことがわかっているから、せいぜい無理をするのです。
一、原詩の言わんとするところ、即ち、主義・主張・哲学を絶対に（絶対になんて、ありえないことですが、この際、こう心に言いきかせるのです）変えないこと
二、原詩の構成を絶対に変えないこと
三、原詩のシラブルの数を絶対に合わせること
四、原曲のメロディのムード、モチーフを的確につかむこと
五、原詩のニュアンス、語呂、アイデアを日本語の中で発見すること
六、日本語としてのアクセント及び文法を正しく保つこと
七、最後に、もちろん、唄いやすいこと
とまあ、この七つの大原則を守りながら、訳詩をするということは並み大抵のことではありません。ひょっとすると、実にくだらない仕事かもしれないのです。それをいかに見事にやってみせるか、と、自分をいじめぬくことに訳詩の楽しみがあるのです。

【原則一について】

これは「無私」になるということです。

人間誰だって、自分の人生観や哲学を持っているでしょう。しかし、それは一切、忘れるのです。ゼロの心境になって、原詩の海にとび込んで、可能なかぎりもぐってゆくのです。

原詩の哲学を、間違えたり、ひんまげたりすることは、冒瀆というものでしょう。

原詩の発想そのものなのですから、これは、絶対に変えてはいけないと思います。

【原則二について】

一番で言ってることは一番に訳し込む。

三番で言ってることは三番に唄い込む。

サビのセリフはサビで唄う。

唄い出しや唄いじめの文句は、なんとかその場所に置く。

これは原作のフォルムですから、変型させてはいけないと思います。

【原則三について】

いわゆる字足というやつですが、これをかえると音楽そのものがかわってしまいます。

音符の数そのものが作品のモチーフになってる場合が多いからです。

例えば、ベートーベンの『運命』のモチーフはダダダダーンの四つの音です。

これを五つにするわけにはいかないのです。なぜなら、この四つの響きが『運命』全体のモチーフであり、第一楽章は4の数でおおいつくされているからです。

ベートーベンに失礼かとは思いましたが、世界一有名な曲を取り上げてみました。

また、身近な例で言うと、『ウナ・セラ・ディ東京』という歌があります。あれを唄ってみて下さい。「ウナ・セラ・ディ東京あああ」以外の各フレイズが全部七つの音です。

最初から最後まで、7のくりかえしで進行するのです。これをもし、6や8にしたら、実に気持ちの悪いものになるでしょう。

そういう訳で、シラブルの数はかえてはいけないのです。

しかし、まあ、これは原則で、音楽をとるか、意味をとるか、という二者択一に悩み、ついに意味の方を選んで、字足がそろわない場合もままあるのですが……。

【原則四について】

これは原詩をはなれて、音だけを聞こうということです。

一つのメロディに託された人間の祈りや願いを、なんとか理解しようと努めることです。歌は、詩だけでできているものではありません。

作曲家のものでもある訳です。

長調の曲なのに、なぜ、ここで短調の和音が入るのだろうかとか、詩の方は解決しているのに、なぜ、曲の方はサブドミナントの和音のまま解決していないのか、そこいらへんまで、考え込んでみる。いわば、原曲の〝調子〟を読みとってみることも大切なことなのです。

【原則五について】

シャルル・アズナブールが作詩して、ジルベール・ベコーが作曲した有名なシャンソンで『メケメケ』という楽しい歌があります。

あの歌は、サビの部分の前は全フレイズがケまたはクの音で終わっています。

こんな時、日本語でもいっちょうやって楽しさを倍加してやるかと、も一つ条件を強めてみるのも良いことだと思います。

もちろん、これに溺れすぎると、目もあてられないほどの失敗をしますが、絶対にこれをやらなくてはいけない時もあります。

『ムッシュウ・ルノーブル』という、やはり、シャンソンがあって、妻に逃げられた男がガス自殺をする話なのですが、原曲は歌の最後で、スという音になり、その音をのばします。なぜかというと、ガスがもれる音を暗示せんがためなのです。こんな時は、どんなに苦労しても、日本語もスで終わらなくてはなりません。原詩のせっかくのアイデアが死んでしまいます。

たとえば、こんな具合です。

俺はただ一人
命の火を消す　消す　消す
消す　消す　すっー

色々と訳詩はめんどうなものですが、『メケメケ』という歌も、こんな風にして訳すと、訳していても楽しいものです。

メケメケ

船がいたっけ
荷物あったっけ
山と積んであったっけ　ラ
港にチッポケ
酒場あったっけ
可愛い娘がいたっけ　ラ
彼氏に抱かれて泣いてたっけ
別れぎわ
存分泣いたっけ
泣いたその訳
娘は男に首ったけ
メケメケ　月並な恋物語
メケメケ　いわゆる恋の終りさ

汽笛鳴ったっけ

キスをしたっけ
別れのキスしたっけ　チュッ
娘は言ったっけ
胸もはりさけ
勇気もくじけ　アア
一人じゃだめなの　行かないで
ねえあんた
髪をなでつけ
男は言ったっけ
行かなきゃならないその訳
メケメケ　月並な恋物語
メケメケ　いわゆる恋の終りさ

娘をふりのけ
男はでかけ
船は出るはしけ　ポーッ！
デッキに腰かけ
波止場を見たっけ

娘が手を振ったっけ　ラ
突然男は海にザンブリ
飛びこんだ
波をかきわけ
泳ぎついたっけ
サメもあきれて口あけ
メケメケ　月並な恋物語
メケメケ　いわゆる結ばれた恋さ
人のいる限り
なくなりはしない　恋

【原則六について】

原則五までを守ったとしても、できあがった日本語、唄ってみたら、大阪弁になっていたり、文法的に間違っていたりしたんじゃどうにもなりません。

『知りたくないの』という歌は、忠実な訳詩の部類に入るものではありませんが、

あなたの過去など　知りたくないの

このメロディの過去の部分がもし、下から上にあがっているメロディだったら、ぼくは決して過去などという言葉を入れなかったでしょう。

そんな訳で、いかに訳詩とはいえ、できあがった日本語は、日本語のイントネーション、アクセント、そして、美しさをなんとしても保つように配慮したいものです。


【原則七について】


訳詩といえども、歌ですから、唄いやすくなければなりません。

高音のところで、声をはり上げるような時、そこに、イとかウの音を持ってくると、歌手は唄いづらいし、事実、苦しいでしょう。

そんな時は、アとかオの音をつかうように心がけてやって下さい。

一番で　君を待つ　とやったら
二番では　果てしなく　とやり
三番では　燃える愛（あい）　とやって

気をつかってあげることによって、訳詩がはじめて歌になる訳です。

これは、料理でいうところの、いわゆるかくし味、かくし包丁と同じことかもしれません。

『五月のバラ』という歌があります。あれは先に曲があって、あとから詩を書いたものですが、あれも、サビの部分の音が頂点に達するところには、アという音を意識的に入れています。

忘れないで　忘れないで

時はながれすぎても
むせび泣いてむせび泣いて
別れる君とぼくのために

『五月のバラ』
なかにし礼・作詞
川口　真・作曲

唄われることを目的で書く歌詞なのですから、これくらいの心くばり、心づくしは当たり前のことだと思います。

ではここで、恥ずかしい話ですが、一番わかりやすい訳詩の例をお見せすることにします。フレディ・アギラが作詩作曲して唄い、日本では杉田二郎が唄った『ＡＮＡＫ（息子）』です。

ＡＮＡＫ（息子）　（直訳）

息子よ
お前が生まれた時
どんなによろこんだことか

息子　（訳詩）

お前が生まれた時
父さん母さんたちは
どんなによろこんだことだろう

私たちだけを
頼りにしている
寝顔のいじらしさ
ひと晩中母さんは
ミルクをあたためたものさ
昼間は父さんが
あきもせずあやしてた

お前は大きくなり
自由がほしいと言う
私たちはとまどうばかり
日に日に気むずかしく
変ってゆくお前は
話を聞いてもくれない
親の心配見むきもせず
お前は出てゆく
あの時のお前を止めることは
誰にも出来なかった

幼いお前が頼りにするのは
私たちだけ
かわいい寝顔をあかずながめ
夜、母さんはひと晩中
ミルクをあたため
朝、父さんはお前を
いつもあやしていたっけ

息子よ　大きくなったお前は
〝自由〟になりたいと言う
〝自由〟と言われても
私たちはとまどうだけ
だんだん気むずかしくなる
お前は話も聞いてくれない
私たちの心配も
お前は気にもとめてくれない
あの時のお前を止めることは
誰にも出来なかっただろう

息子よ　お前は今
悪の道へ走り
荒んだ暮らしをしてると聞いた
息子よお前に何が
あったのだろうか
母さんはただ泣いている
きっとお前の目にも
涙があふれているだろう
きっと今ではお前も
後悔をしてるだろう

息子よ
お前の生活はすさみ
悪の道へ走ってしまったと聞いた
一体何があったのだろうか?
と母さんは毎日
泣いている
お前の目にもきっと
涙があふれているだろう
お前も心の中では
どこかで間違えたとわかっているだろう

なんだ、お前は何もやっちゃいないじゃないか、と言われそうだが、その通りなのだ。何もやっちゃいけない。だから、最初に言ったでしょう、無私になることって。忠実な訳詩はごらんのように、自分のものの考えや、自分の個性を可能なかぎりおし殺すことによって成立する作業なのです。その作業そのものの中に自己表現するか、自己満足するかしか方法はないのです。こんなこと、何が楽しくてやるんだろうと、時々、自分でもふと考える時がある。しかし、あきもせずやる。

たぶん、まったくの外国の歌が外国の心や情緒が、日本語という言葉をかりて日本という国に生まれることに手をかしているよろこびとでも言おうか。そんなことなんだろうな。

無私にならなければ、ミュージカルの訳詩も、オペラの訳詩もできやしない。

『別れの朝』とか、『サバの女王』は、いわゆるハメコミに属する仕事だと思う。

歌はつねに、詩が先にあって、それから曲がつくものとはかぎらない。曲が先にあってそれから詩をつけるということだって大いにある。どっちが先だってかまわないと思う。結果、いい歌ができれば……。

こないだ、面白い新人の作曲家に会った。

ぼくが詩を書いてわたした。一週間たって曲ができてきた。どうにもピンと来ないので、またつくってもらうことにした。だが、やはり、あまり面白くない。ぼくが不服そうな顔でいると、彼は言うのだ。

「どうも詩があると詩に束縛されたり、影響うけちゃってのびのびとしたいい曲ができないのです」と。

当たり前じゃないですか。作曲家を束縛しない詩なら書かない方がいい。

ここのところはこういう文句だから、こんな風に、ここのところはこういう字足だからこうやってと、作曲家が悩んで当然なのです。バッカじゃなかろうかと思ったね。

じゃ、何かい？　先に曲があったから、どうしてものびのびとした詩が書けなかったと作詩家が言ったらどうするのだ。いつまでたっても歌なんてできあがりやしない。

束縛の中で、いかにのびのびと羽ばたくかってことが、あとから詩なり曲なりをつける人間の仕事じゃないかと、ぼくは思うのです。ただ、のびのびとするまでに時間がかかるということ。

はめこみという仕事は、実に面白い。

言葉のない音だけを聞いて、ひたすら邪念と妄想に身をまかすことの楽しさ。

◆作曲した人間は何を考えていたんだろう?

◆作曲した人間はどんな詩を求めているんだろう?

◆うん、わかるわかる。でも、裏切ってやろう。そう注文通りいくもんか。

◆いい曲だな。なんとかしてこの曲よりもいい詩を書いて、この曲をねじふせなくてはいけないな。

◆できあがった時に、とても曲が先にあったと思えないくらいにピッタリと詩をつけてやろう。

◆他人が書いた詩があったらしいが、俺の出番だ。ものの見事に歌にしてやるさ。

なんという自惚れ、なんという負けずぎらい。なんというファイト、なんという野心。

原詩にあまり忠実にやらない訳詩とか、はめこみの時、めらめらと胸にもえる邪念の炎は、そりゃあ自分でも恐ろしいくらいだ。

ひととおり、邪念に身をまかせて、体と心があたたまってから、さて考えるということになるのだが、この妄想がまた楽しいのだ。

音、音のつながり、ムード、音の色あい、音の温度、音の数、メロディの品格、音のもつ時代色、音のもつお国柄、アレンジの予想、もうありとあらゆる、考えられるだけのことを考えて妄想する。

様々な景色が目の前にあらわれ、そして消えてゆく。

この頃になると、もう、最初の邪念はどこかへ消えてしまっていて、素直に音とたわむれている一人の子供になっているみたいだ。

書きはじめてよいのは、この辺からではないかと思う。


『別れの朝』という歌。

あの曲を初めて聞いた時、ぼくは実に沢山の妄想を楽しんだ。

その最後の妄想を書かして下さい。

「ドキュメント作詩」の章で、さんざん恥をかいたんだから、一つくらいすんなり行ったのを書いてもいいいでしょう。

『別れの朝』についての妄想

夜通し、悲しい別れ話をした男と女がいる。

もう話すこともすっかりなくなってしまった。これ以上話しても、無駄なことは、二人が誰よりもよく知っている。

女はいつものように、朝の紅茶をいれた。が、二人は、いつものように、紅茶を飲みほすことはできなかった。

無駄な期待と知りつつも、女は男の、心変わりを待っている。

結局は、出てゆくんだと思いつつも、男は何かいたわりの言葉をかけてやりたい。しかし、そんなことをしたら、愛しあっている二人は……

とても別れきれないだろう。

夜を徹して話しあい、どうにもならぬと結論が出たばかりなのに。

男が女の方を見ると、女はそうっと瞳を上げて、淋しい顔に、微笑を作る。

男と女の心に、別れという悲しみのあとに来る、今はわからぬ感情が不思議な靴音をたてて近づいて来る。

朝の陽ざしが段々高くなってゆくように……

時間だ。

紅茶はすっかりさめきっている。

残る心をふっきるように、男は紅茶を飲んだ。女も冷えきった紅茶を鉛でも飲み込むように飲みほした。

これですべてが終わったのだ。

もう、作り笑いでもいい、悲しい顔は止そう。

二人は多分一生交わすことのない最後のくちづけを、笑いながら交わした。

男は帰ってくる人のように、女は帰ってくる人を見送る女のように。

女は自分から先に立って、白いドアを開いた。

二人で住んだ家だけど、結局自分一人が残されたのだから。

男は多分、手に小さなスーツケースを持っている。

朝の光がことさらまぶしい。

駅につづいている小径に、木もれ陽がゆれている。

その径を、男と女は、急に他人になったように、ややはなれて、何一つ言葉を交わさずに歩いている。


「君はよくつくしてくれたよ」と言ったのだろうか、それとも、「君のような女性には、もう二度とこの人生で逢うことはないだろう」とでも言ったのだろうか。

われわれにはわからない。

遠い景色なのだ。

とにかく、男が何か女に言ったようだ。女はうつむいたまま髪を振った。

「なぐさめなんか言わないでほしい。歩いているのもやっとのことなのに。せっかく私が笑顔をつくっているのに、また泣けと言うの」

と女は言っているのだろうか。わからない。

遠い景色なのだ。

また悲しみのこみ上げた女に、男は歩みより、言葉もなく、女の手を軽く握ろうとする。

女はその手をふりほどいた。

「私はこれから一人で生きてゆこうとしているのに、どうして、二人の暮らしを思い出させるようなことをするの？　うわべだけでも平静をよそおっているのに、別れがつらくて、たえきれなくて、私はわがままを言ってしまうかもしれない」

女のそんな声が聞こえてくるみたいだ。

だが、なんと言ったかわからない。

遠い景色なのだ。

二人はふたたび、静かに歩きだした。

駅につづく径を——。

そうすることだけが、二人に残されたたった一つのつとめであるかのように。


駅についた二人は、はた目には極く普通にうつったことだろう。

何くわぬ話をし、もうすっかり明けきった町景色を眺めながら、汽車の来るのを待っていた。

汽車が入ってくる。

男はデッキに足を踏み入れたが、それ以上中に入ろうとしない。

まだ、本当に別れるような気がしないのだ。

それほどまでに、二人の愛のくらしは長かったのだ。

だが、ガタンと汽車が動き出した瞬間、「別れ」は現実のものとなった。

男は遠くへ行ってしまう。

女は一人この町で何をして生きてゆくのだろう。

別れることだけを考えていた男に、初めて別れることの悲しみが襲ってくる。

そんなものは、女はとっくの昔に感じていたものなのだが……。

女の悲しみを、男は初めて自分のものにすることができた。

この時、二人の心は完全に一致したのだ。しかし、汽車は、二人の心をひきはなしてゆくばかり。

男は、この時初めて、自分がこの女を誰よりも愛していたことに気づく。

われしらず、手を振っている。ちぎれるように手を振っている。

そして男はうっすらと泣いていた。

女は、男の目の中に初めて真実を見て、二人の恋が間違いでなかったことを知る。二人が愛しあっていたことは嘘でなかったことを知る。

女は、別れていった男を、愛をこめて許した。


妄想は見た。なんとか歌にしてみよう。

だが、どうやって？

そこで、も一度、音を聞いてみる。音に身をまかせてボンヤリしてみる。

音の温度、音の光彩、音の強弱……がなんとなくわかるような気がしてくる。

このメロディが持つ、対象とのある距離感。その距離感がつねに保たれていて、それが、サビ即ち歌の「胴体」のところへ来て、やにわに崩れる。そしてまた、もとに戻るということが感じられてきた。

では、詩の方の視点も、対象との距離感を的確に保たなくてはいけないな。

ぼくは、映画監督にでもなった気分でカメラの位置やレンズの大きさ、画面のコンテを考える。

もし、カメラワークというものが作詩にもあるとしたら、あの歌ほど、それを意識して書いたものはない。

別れの朝

別れの朝ふたりは
冷めた紅茶のみほし
さようならのくちづけ

カメラワーク

無言劇　朝
食堂兼サロン
ワンカットでおす。
男と女、フルショット
カメラ、ズームアップ
二人、ツーショット

笑いながら交わした
別れの朝ふたりは
白いドアを開いて
駅につづく小径を
何も言わず歩いた
言わないで
なぐさめは
涙をさそうから
触れないで

バストから上、そのまま
身をほどいて女
ドアにむかってゆき手をかける
家の外のカメラ、スタート
二人、出てくる
二人、カメラ前を通ってゆく
カメラ、きりかえして背後から二人歩いてゆく、
道はどこかへつづいている
無言劇

歩く二人をなため前からカメラ、レールにのってフォローする、ツーショットで……
木もれ陽やら道のそばの花が美しい
男が女の手をにぎろうとする、女はそれをふりほどく
カメラ、女の顔にアップ

この指に
心が乱れるから
やがて汽車は出てゆき
一人のこる私は
ちぎれるほど手をふる
あなたの目を見ていた

ウド・ユルゲンス・作曲

女、泣いている
カメラ、そのままグーンと寄って女の顔をこえて朝の空へ

右手に汽車
ホームに女
汽車動き出す
ちょっと走る女、フルショット
女の肩ごしに男。
きりかえして女。
女の全身をうしろから、去りゆく汽車とともに……

とまあ、こうやって書いてみるといい気なもんに見えますが、その時は真剣だったのです。実に幼稚なカメラワークではありますが、こんな考えをぼくに強いたのは音です、曲です。音を聞いて妄想をたくましくする人には、はめこみは楽しい仕事です。なぜなら、

◈自分のもの以外のリズムやムードでものを考えるという楽しみ。
◈字足やアクセントを合わせようとすることによる意外な発見の楽しみ。

◆できあがった時に、すぐ唄ってみて検討できる楽しみ。
◆作詩という仕事の〝神秘〟の一端に触れることがたまたまある楽しみ。
こういうことが楽しく見えない人は、訳詩やはめこみはやらないことです。

作詩だけでもめんどくさいのに、その上、束縛があったんじゃ身がもたない。

しかし、先ほどの作曲家じゃないけれど、先に詩があると書けないという人も多いのです。そんな人には、ぼくなんか、どうぞご自由にといって、勝手に作曲してもらいます。それでいい曲ができるなら結構なことじゃありませんか。苦労はこっちがひきうけると言っちゃあ聞こえはいいが、必要な場合もあるのです。
◆日本語のイントネーションやリズムをわざとこわして、バタくさい歌をつくりたい時
◆自分になんのアイデアもない時
◆歌というよりも、なんだかわかんない、リズムの強いサウンド的な歌をつくろうとする時など、そんな場合です。
歌は本来、詩が先にあるべきだと言う人がいますが、それは言葉をあつかう人間のおごりというものです。

初めに言葉ありき？　冗談じゃない。言葉の前に叫びがあった、泣き声があった。

『花の首飾り』も、『エメラルドの伝説』もはめこみだった。作曲者のお陰で随分と楽しい夢を見させてもらった。

花の首飾り

花咲く娘たちは
花咲く野辺で
ひな菊の花の首飾り
やさしく編んでいた
おお　愛のしるし
花の首飾り
私の首に
かけておくれよ
あなたの腕が
からみつくように

花つむ娘たちは
日暮れの森の
湖に浮かぶ白鳥に
姿をかえていた

おお　愛のしるし
花の首飾り
私の首に
かけて下さい
はかない声で
白鳥はいった

涙の白鳥に
花の首飾り
かけた時嘆く白鳥は
娘になりました
おお　愛のしるし
花の首飾り
おお　愛のしるし
花の首飾り

菅原房子・原案
なかにし礼・補作詩
すぎやま・こういち・作曲

エメラルドの伝説

湖に君は身をなげた
花のしずくが落ちるよに
湖は色を変えたのさ
君の瞳のエメラルド

遠い日の君の幻を
追いかけてもむなしい

会いたい　君に会いたい
みどりの瞳に
僕は魅せられた

湖に僕はひざまずき
みどりの水に口づける

会いたい　君に会いたい
みどりの瞳に口づけを

なかにし礼・作詩
村井邦彦・作曲

第六章　歌は空気である

『時には娼婦のように』という実験

ぼくはなぜ、あの時、歌を唄ったのだろう。

それまで、人前で唄うなんてこと一度だって考えたことがなかったのに、レコードを吹き込み、テレビで唄い、コンサートまでやった。いったい、あれはなんだったのか、と今更のように思う。

当時、ぼくはもう作詩家をやめたかった。自分の才能に限界を感じたとか、疑問をいだいたとかいう種類のものではなく、作詩家という職業そのものの存在がなんとも得体のしれないものに思えてきたのだった。

作詩家になって十数年、実に沢山の歌を書いてきた。ヒットしたのもあったし、ヒットしなかったのもあった。しかし、それはなんのせいか。詩のせいか、曲のせいか。わからない。じゃ、ぼくは、いったい何をやったのか。

なんにもやってなかったかもしれない。

レコード会社ないしは音楽出版社から注文が来る。歌手と発売日が決まる。作曲者も決まる、アレンジャーも決まる、締め切り日が決まる。担当ディレクターはもちろん最初から決まっている。

締め切り日が迫ってくる。イライラ、ウロウロする。そして机にむかう。考える。書きはじめる。書きあがる。

生まれたばかりの詩を渡す。

曲がつく。アレンジができあがる。オーケストラレコーディング。歌手の吹き込み。トラックダウンという編集が終わって完成。

そこまでは、つきあおうと思えばつきあえる仕事だが、ぼくはほとんどつきあわない。なぜなら、どうせ中途半端だからだ。ぼくのできることは詩を書くこと、そこに全力を投入したらいいし、投入したら余分な力は残っていないし、お互いプロなんだから、自分の仕事にベストをつくせばそれでいいという考えもあるし、あとは野となれ山となれという気持ちもある。

トラックダウンの終わったあとが大変なのだ。編成会議というのがあり、販売会議というのがあり、宣伝会議というのがあり、レコード店のお偉方が集まって、プレス枚数を決めたりもする。もう、われわれ、市井の一作詩家なんぞがのぞき見ることのできない、企業としての様々な仕事がつらなっているのだ。

その間にA面とB面がひっくり返ることだってある。ボツになることだってある。録音のしなおしがあり、作りなおしがある。タイトルが変わってしまうことだってある。

そして、発売日が来ると、いやもうすごいキャンペーン、宣伝はする、ラジオには流れる、テレビの番組には顔を出し、雑誌には写真、新聞には記事。

結果はどうか。売れる時もあれば、売れない時もある。

売れた時、俺はいったい、何をやったのだろうかと思う。これだけの大ごとの、俺はいったい、何分の一の仕事をしたのだろうかと思う。

そりゃあ、印税も入ってくる。人からはチヤホヤされる。しかし、そこで、いかにも、自分の功績のような顔をしてニヤニヤに下がっている自分が愚かに見えて仕方がない。

曲が良かったからかもしれないし、アレンジが素晴らしかったからかもしれない。歌手に魅力があったからかもしれない。プロダクションに力があったからかもしれないし、レコード会社が死力をつくしたからかもしれないし、それらを陰であやつる、もう一つの大企業があったからかもしれない。俺はいったい、何をやったのだ、たとえ、詩がよかったにしてもだ。

作詩家とは、いや、歌書きとは、企業が利益追求のために暴れまわったそのおこぼれを頂戴する職業なのかと思ったりして、寒々とした痛みを感じてしまう。

ましてや、それだけ企業が努力をして、なお売れなかったら目もあてられない。ぼくはよっぽどひどい詩を書いたにちがいないのだ、と反省しながら、自分の書いたものを読みかえしてみると、そんな時はまた特に、つまらない詩を書いている。つまらない詩に見えてくる。

こりゃあひどい。売れなくて当たり前だ、と、思うと、なぜか今まで書いてきた詩の全てが愚にもつかないものに思えてきたりもする。

売れなかったのは自分のせい。

売れたのはみんなのおかげ。

するると、あの過去のヒットした歌のすべてはなんだったのだろうか。

いい詩を書いたと思い、ヒットメーカーと自惚れ、金も沢山いただいたけど、それでいい気になっていた自分はよっぽどおめでたいのじゃないか。

俺は、おこぼれをいただいて歩いていたに過ぎないんだ、と思った瞬間、ぼくはもう、作詩家という仕事が耐えられないものになってしまったのだった。

情熱をこめて書くことがほとんどなくなってしまった。

戦争体験を小説として書きたいという思いはあった。しかし、小説を書くとなると、これはこれで難しいことなのだ。

人間、ハングリーになればファイトが湧くなんて言葉があるが、あんなもの嘘だ。

兄の作った借金を背負わされてハングリーになったけど、一向にファイトなんか湧いてこなかった。

なにしろ、歌が書きたくないんだから仕方がない。ヒットしても、ヒットしなくてもやたらとむなしいのだ。

本当にやめちまおうかと思った。

十九歳から歌を書きはじめ、作詩家になって十数年、いったい何千曲書いただろう。三千曲ぐらいか。ヒット賞というものをレコード会社からもらったレコードがおよそ三百曲、だが、もうほとんどが消えてしまっている。まるで、ただ単に恥をさらすだけのためみたいに歌本にのっていたりする。空気中にただよっているうちはいい。消えたあとに、詩だけを読むと実に無残だ。恥ずかしい。

へんなことをやって生きてきたんだなあと、今更のように思った。

しかし、永い年月のあいだには、情熱をかたむけて書いた歌もいくつかある。みんながみんなと言いたいところだけど、そう言うと嘘になる。

＊レコード会社の企画におんぶして、書いたものもある。

＊歌手の魅力におんぶして、書いたものもある。

＊作曲家の勢いにおんぶして、書いたものもある。

＊自分でも面白くないと思いつつも、その日はそれしか出てこなかったものもある。

だが、不思議なことに、そうやって書いた歌は、完全に全部、すべてが消えてしまっている。

これは実に、ものの見事と言うほかない。

中には、当たったのもある。いい歌だと言われたのもある。

ところが、そんなのは昔の話。もはや、空気中に気配もなければ、匂いもない。全然ないのだ。

これは実に、うれしいような発見だった。

そして、その情熱をかたむけて書いた歌はどうかというと、これはまた不思議に、時々、空気中をただよったり、レコードになったりして、今なお、自分の耳にもつたわってくるのだ。

いつまでも残るとは言っていない。あくまでも今のところは、という意味でだ。その中には、風前の灯の歌もある。それらが消えてゆくのも時間の問題だろう。だが、自分が情熱をかたむけ、自分が納得した歌が、月日をこえて、自分の耳にとどいてくるという現象は、これもまた、うれしいような発見だった。

思い出せば、そんな歌にかぎって、歌手は売れていなくて、プロダクションも小さくて、大きくてもその歌手は冷飯を喰っていて、レコード会社も力を入れず、おまけに、ヒットするまでに時間のかかったものなのだ。

初めはB面だったのに、いつのまにやらA面になって売れた歌があり、何度も何度もレコードにして、ついに誰の歌やらわからなくなってしまったのもあり、売れるまでに五年もかかった歌があり、最初は千枚しか発売しなかったのに、あれよあれよという間に百万枚近く売れた歌がありと、そりゃあ、実に不思議なくらい似たような経過をへて世に出、そして、今なお、街にながれ、空気中をただよっている。そのほとんどが、ぼくが情熱をかたむけて書いた歌だということは実に不思議なことだった。

情熱をかたむければいいものが書けるのか。そうは言っていない。そんなことわかるもんか。ただ、そう思うよりしようがない、とぼくは言いたいのだ。そう思わなかったら、いったい情熱なんて、なんのためにあるのだろう。

自分の過去をふりかえって、そんな発見をした時、ぼくは少し、やる気が湧いてきた。俺の歌だって、そうバカにしたものじゃないぞ。気を入れて書いた歌は、ちゃんと納得のゆく結果が出ているではないか。この先どうなるかわからないが、まあ、この程度で我慢しときなよ、と自分に言いきかせた。

じゃひとつ、実験をやってみようか。

気を入れて、歌をも一つ書いてみるのだ。売れるか売れないか、ためしてみるのだ。その結果で方針を決めよう。

歌手は誰がいい？　俺が唄う。

いやあ、まわりの人間のあの時のおどろきようはもう、びっくりぎょうてんとはこのことだといわんばかりだった。

礼さん、何考えてんの？　ノイローゼもついにここまで来たか、とたぶん思ったのではないか。何が悲しくて、四十面さげて、歌を唄わなければならないのだ、第一、歌が下手くそだ。

ところが、ぼくの方は真剣だった。

自分の人生の方向をここで決めようと思っていた。

作詩家とか、作曲家が自作を唄った歌でヒットしたためしは一度もない。だから、まず、その最低限の条件を自分に与えること。

作曲家に曲を依頼しない。自分で作る。

十何年前、渋谷のなんという名前か忘れたが、小さなバァのカウンターで、お慶さんと酒を飲んでる時、

「礼ちゃん、何か書きおきないの？」

と言われて、

「実は、一つあるんだ」

と言って、ぼくは、その店のギターをかりて弾きながら唄った。

「それ、いいじゃない、レコーディングしようよ」

とお慶さんは言って、幸福そうに笑った。

それが、『涙と雨にぬれて』だった。

あれと同じことを、今、もう一度やるんだ。

情熱をかたむけて書いてみて、本当に、情熱をかたむけて書いてみて、ヒットしなかったら、じわじわとでもいい、売れなかったら作詩家なんてやめよう。俺は、なんにもしていなかったんだから……。

もし、ヒットしたら、情熱というやつをもう一度信じて、歌を書いてみよう。俺にも多少、やることはあるのだろうから……。なんという奇妙な考えにとりつかれたものだろう。危険な実験だった。

だが、ぼくは実に素直に、歌を書きはじめた。

「大きく脚をひろげて……」書きながら、放送禁止になるかもしれないな、と思ったが、それもよかろう。ますます、悪条件が重なればいいとひらきなおってしまった。

詩を書いているうちに、曲の方も一緒にできていった。それをかたわらで見ている連中は、不思議な生き物でも見るようにぼくを見ている。詩も曲も妙ちきりんだったのだろう。

できあがって、唄ってみた。ひとりごとがどこまでもつづくような、奇妙な歌だと自分でも思った。売れそうな匂いもしたし、まったくそっぽをむかれる感じもないではなかった。

レコード会社はどこにする？


そこで、よしだ・たくろうと或る日酒を飲んだことを思い出した。

彼はぼくに言った。

「礼さん、自分のアルバム作りなよ。フォーライフで出すからさ」

「冗談じゃないよ」

と、ぼくはその時、笑っただけだった。

あれから一年くらいたっているかもしれないが、俺にレコードを出せなどと声をかけてくれたのは、よしだ・たくろうただ一人。それじゃ、義理でも、あそこからレコードを出さなきゃと思い、フォーライフに話をすると、「アルバムでいきましょう」ということになった。

作詩作曲で十二曲。自分が唄う。

まわりの人間は、前に輪をかけておどろいた。

ぼくはもう変人あつかいされていたし、少なくともストレス性鬱だと思われていたから、平気の平左で詩を書き、曲を書いていった。

そのうち、案の定、兄貴の会社がまた倒産する。兄貴はぼくが稼ぎ出す金を当てにして仕事しているから上手くいくはずがない。その借金はいつの間にかぼくが返すことになっている。

ぼくがギターをかきならして作曲している横で、電話はガンガン鳴りひびく。社員はうろたえる。借金取りはやって来る。いやもう、修羅場。

あげくは、ぼくが詩を書いている机だけをのこして、あとの事務用机や書類箱など、どんどん誰かが持ち出してゆく。

勝手にしろとばかりに、ぼくは歌を書いている。嘘みたいな本当の話。あの時のぼくはいったい、何を考えていたのだろう。決まっているじゃないか、歌を考えていたのだ。

レコーディングしていると、スタジオにこわいお兄哥(にい)さんがクリカラモンモンをシャツの袖の下からのぞかせてやって来るわ、外にはいっぱい金貸しは来てるわ、よくまあ、こんな時に、歌を唄う気分になれるもんだと、真剣な顔でマイクに向かいながら、自分自身にあきれていた。

こんな空気の中で、アルバム『マッチ箱の火事』ができあがった。

マッチ箱どころか、自分の人生に火がついている。

「人生は一箱のマッチに似てゐる。重大に扱ふのは莫加莫加しい。重大に扱はなければ危険である」（侏儒の言葉）

という芥川龍之介の言葉から、このタイトルは思いついた。どこまでシャレたら気がすむんだろう、この見栄っ張りめ！

十一月一日にアルバムは発売された。

もちろん、レコード会社や音楽出版社の努力もあったが、なぜか、なぜかとしか思えない、なんたってぼくが唄っているレコードだもの。それがだ、なぜか十二月の初めごろに有線放送に流れだし、九州地方ではベストテンに入ってきた。

まだシングルレコードになっていないのに、アルバム十二曲の中から『時には娼婦のように』だけが浮上してきた。

あの時の気分は、うれしいとも、やったとも言えない、なんとなく悲しいような、実に変な気分だった。

そのうち、ラジオには流れる、ぼくまでテレビに出て唄い出す。有線では、全国的にベストテン入りしはじめてきた。

すわ、シングルレコードにして発売しようということになった。もうここまで来たら、売れるに違いない、と思った瞬間、自分の役目はひとまず終わったような気がした。

黒沢年男に、夜中に電話をした。彼のために、歌を書くよう前から頼まれていたのだが、一向に書けないでいたから、この際、この曲をプレゼントすることにした。九十九パーセント売れるだろうと思ってのことだった。

フォーライフレコードは、イヤな顔をした。これからが勝負という時に、ほかのレコード会社にゆずってしまうなんて、話がちがうじゃないかということだろう。だから、ぼくのレコードもシングルカットして、黒沢年男と同じ日に発売した。

ぼくのレコードも売れたし、黒ちゃんのレコードはもっと売れた。

それでも、ぼくのストレス性鬱症状はまだ治らなかった。

子供っぽい発想から始まって作った『時には娼婦のように』が売れたんだから、もう、気を鎮めて、また歌を書けばいいじゃないかと、誰しも思うだろうが、時の流れといおうか、その流れに身をまかせた狂気の沙汰といおうか、ぼくはコンサートまでやった。映画にまで出た。

本当のことを言うと、アルバム『マッチ箱の火事』で、何か、精力をつかいはたしたような、うつろな気分になってしまっていたし、その上、腰をおちつけて歌を書けるような雰囲気でもなく、身辺ただざわざわ、もう何をしたらいいのかさっぱりわからず、ひたすらお祭り騒ぎに浮かれて、その日その日を退屈せずに、面白おかしく過ごしていられりゃいいや、という気持ちが強かった。

眠くなったら寝る。起きたら、何か暇つぶしを考える。

コンサートなんて、あんなもの二度とやるもんじゃない。

でかいホールで、あんなに大ぜいの人の前で、よくもまあ卒倒もしないで唄えたものだ。最後まで、一字も間違えずに。絶対、あの時のぼくはおかしかったのだ。

しかし、コンサートが終わってホッとする間もなく、映画の話が舞い込んできた。それに出ると言った時の、みんなのおどろき、あきれよう……。

なに、脚本を書く？　音楽も書く？　主題歌も唄う？　主演だって？　大丈夫かい、頭の方は？　本当にどうかしてたのかもしれない。

キスシーンはもちろん、ベッドシーンもやった。なんとも感じなかった。

ぼくは、極度の精神的不感症の症状にあったのだ。

去年の夏のことだ、ぼくの鬱症状が治ったのは。本当に治っているのかな、今でも、少しおかしいのではないかと思うが、とにかく、憑きものがとれたように、フワッとわれに返った。『娼婦……』の騒ぎも一段落して、借金の方もかなりかたがついて、ぼくはザルツブルクに遊びに行くことを決心した。

歌謡曲の作詩家ふぜいが、ザルツブルク音楽祭に行って、連日、コンサートやオペラを聴こうというのだから、少なくとも鬱病は治っていなかったのだ。

その時、ふって湧いたように、毎日放送の『もうひとつの旅』という番組から声がかかり、それに出ることになった。『悪魔の子・モーツァルト』と『エディット・ピアフ愛の賛歌』という二本の番組をパリ・ザルツブルク・ウィーンで録画どりしたのだが、その時の演出家が素晴らしかった。

何が素晴らしかったかと言われても、上手く言えないのだが、この岩佐寿弥という男に出逢ったら、ぼくの頭の上にあったストレス性鬱という花瓶が地面に落ち、ポトンと小さな音をたててこわれたみたいだった。

風采もあがらず、自分の肉体が今何をやっているかということを忘れているんではないかと思えるくらいにぶきっちょで、ジュースはこぼす、タバコの灰はばらまく、その上、処刑前のキリストみたいに体力のなさそうな、ヒゲをはやした中年男。

ただ〝気〟の充実だけで生きている。

この男を見ていたら、全身の力がぬけてゆき、肩のこりがとれたように、心が軽くなった。ぼくはポカァンとしてしまったのだ。

片意地はって、アルバムをつくり、『娼婦……』という歌のヒットするかしないかに、自分の人生の方向を賭けてみるなんて、なんという愚かしい真似をしたんだろう。

そう思った瞬間、狐つきのように、ぼくにとりついてはなれなかった憂鬱が、かすみのように消えていったのだった。

自然のままで、ありのままでいいじゃないか。

この男は、そんなことを教えてくれたような気がする。


ぼくは、急に呼吸が楽になった。

『時には娼婦のように』が百万枚をこえてヒットしたことも、お祭り騒ぎがあったことも、みんな遠い出来事のように思えてきた。

テレビの録画どりを終えたぼくは一人、ザルツブルクに残って、毎夜、コンサートホールに通った。小澤征爾を聴き、カラヤンを聴き、ベームを聞き、『魔笛』を観て、『フィガロ』を観て、ザルツブルクの二十日間はまたたく間に過ぎていった。鬱病も治っていたし、実にさわやかなひとり旅だった。

クラシック音楽が好きで、毎日のようにレコードを聞き、日本にいてもひと月に五回はコンサートに通う生活も仕方のないことだし、歌謡曲がさして好きとは言えず、レコードを一枚も持っていないことも、これまた仕方のないことだと思うようになった。その通りなのだもの、どうしようもない。

だが、やはり、誰かが歌を書けと言ったらやはり書くんだろう。歌を書くことが好きなんだから、これもやっぱりしようがないことなのだ。昔とちっとも、かわっちゃいないのだ。

歌の出だしを考え、サビを考え、勝手なことを夢想することが好きなんだから仕方がないじゃないか。

何も、自分は作詩家であるとか、それがいいとか悪いとか、そんなこと一切関係ない。ただ、このままで、ありのままでいいじゃないか。

或る日、気がついたら作詩家になっていたように、今度は、気がついたら、ただただ、歌を書くことが好きな男になっていたとでも言ったらいいのだろうか。

オペラが終わると、着飾った紳士淑女たちが会場から道にあふれ出る。彼らの規則正しい足音が、石造りのザルツブルクの街に反響する。ぼくは一人歩きながら、たった今、モーツァルトのアリアを聴いてきたばかりなのに、なぜか日本の歌が急に大きな声で唄いたくなった。
　波の背の背に
　ゆられてゆれて
　月の潮路の　かえり船
石の街に、なんとこの歌は似合わないことだろう。石畳に、なんとこの節まわしが珍妙に響くことだろう。その違和感は、肌寒さをおぼえるくらいだった。

だが、ぼくは唄いつづけた。

かすむ故国よ
小島の沖じゃ
夢もわびしく
よみがえる

『かえり船』
清水みのる・作詩
倉石晴生・作曲

日本のあの景色に、あの空気に、この歌はなんと似合っていることだろう。そして、今唄っているこのぼく自身になんと似つかわしい歌なんだろう。
ぼくは初めて、日本の歌というものをいとしいもののように思った。

時には娼婦のように

時には娼婦のように
淫らな女になりな
真赤な口紅つけて
黒い靴下をはいて

大きく脚をひろげて
片眼をつぶってみせな
人さし指で手まねき
私を誘っておくれ
バカバカしい人生より
バカバカしいひとときが
うれしい　ああ　ああ
時には娼婦のように
たっぷり汗をながしな
愛する私のために
悲しむ私のために

時には娼婦のように
下品な女になりな
素敵と叫んでおくれ
大きな声を出しなよ
自分で乳房をつかみ
私に与えておくれ

まるで乳呑み児のように
むさぼりついてあげよう
バカバカしい人生より
バカバカしいひとときが
うれしい　ああ　ああ
時には娼婦のように
何度も求めておくれ
お前の愛する彼が
疲れて眠りつくまで

なかにし礼・作詩作曲

歌は空気である

千のヒット曲を生んでみたところで、たった一つの『城ヶ島の雨』にかなわなかったら、いったい何をやったことになるのだろう。

あのくらいのいい歌を書いてみたいと思わないのだったら、歌を書かせる情熱とは、いったいどんな邪念なのだろう。

いい歌。いい歌というものはあるのです。

そんなことは、本当はみんな知っているのです。

ただ、なんとなくこわくて、そう思いたくないだけなのです。

売れたからいい歌。売れなかったから悪い歌。と、そう簡単に決めてかかりたい人もいるだろうが、そうはいかないのです。

いい歌、悪い歌、それを世間が決めるなんて、とんでもない話です。

世間とは
いったい
何の事でせう
人間の複数でせうか。
どこに、その世間といふものの
実体があるのでせう。
（『人間失格』）

という太宰治の言葉をもう一度かみしめてみる必要がある。

神様はいるのです。

歌にかぎらず、ものをつくるということは、創造の神を信じることではないでしょうか。

歌は歌手のためにあるのでもなく、レコード会社のためにあるのでもない。

ただただ、空気中をただようためにあるのです。

世間の欲求、歌手のイメージ、売り上げの枚数、キャンペーン、大成功、そんなものが、まるで、うたかたのように消えてしまったあとで、歌は初めていきいきと生きはじめるのです。

今がよけりゃいいのだと、多分、誰でも言ってみたいでしょう。しかし、それは強がりでしかないのです。なんで人間が、この淋しがりやの人間が、今だけよければよいと言って生きてゆけましょう。そんなニヒリストが歌を書くこと自体が間違っているのではないでしょうか。

ヒットとか、歌手のイメージにあったとか、あわなかったとか、そんなことをはるかに越えたところで歌を書いてみたいと思う。

城ヶ島の雨、雪の降る町を、かなりや、出船……

いい歌だなあ。でも、もっともっといい歌を書きたい、なんとしても書きたいと思う。

いい歌は誰が唄ったって、いい歌じゃありませんか。

大オーケストラをバックに唄ってもいい。ピアノ伴奏で唄ってもいい。ギター伴奏で唄ってもいい。伴奏なしで唄ってもいい。音痴が唄っても、やはり、いいものはいいのです。

そんな歌を書きたいと思いませんか？

ぼくは思うのです。

そりゃ、作詩家のはしくれですから、ヒットを当てこんだ歌も作るでしょう。様々の方々の協力のもとに、大キャンペーンをはるような歌も書くでしょう。しかし、そんな仕事の最中にも、神様だけは信じていたいと思うのです。

神様、へんなことを言いだしたものです。しかし、これしか言葉がないのです。

永遠というものを頭にえがいた時、かぎりある生命を生きるぼくたちは、神に願いをかけるより方法がないのです。

宗教的な意味で言っているのではないのです。創造の神がいると思えばこそ、つらい努力にも耐えられるのではないか、というたったそれだけのことなのです。

永遠、そんなものどうだっていいや、とは思えない。ぼくは、永遠というものにかかわっていたいと思う。思うだけしか能はないかもしれないが……。

歌が生まれる、空気中に流れる、或る時はブルドーザーかジャリトラックほどの排気ガスを吐いてあばれまわる。そして、一瞬ののち、もとの静けさ。

そんなこと少なくともぼくはもう沢山だ。

ただただ、いい歌を書きたい。

いつまでも、空気中にただよっているような歌を書きたい。

できなくてもいい、そんな願いだけは持ちつづけていたいと思うのです。

歌が生まれる、空気をふるわせる、月日がたつ、年月がたつ、やがて唄った人の名も忘れられ、作曲した人の名も忘れられ、作詩した人の名も忘れられ、歌の題名だって忘れられてしまう、かつて、大きな騒ぎのあったことや、なかったことなどもちろん、誰一人おぼえてやしない。だが、歌だけは、なぜか空気中にただよっている。

そんな光景を夢に見ないで、歌を書くということはいったい、何をやっていることなのでしょう。

人間、正直になった方がいいような気がします。

そういう光景を夢に見つつ、歌に願いや、祈りを込めることによって、ぼくたちは初めて、

〝神様〟や〝永遠〟とほんの少し、触れあうことができるのではないでしょうか。

〝神様〟や〝永遠〟のしっぽの先を指先につまんで、真っ暗闇をひたすら走りつづける時に、チラチラと目の前をすぎる美しい光、その美しい光の光源がどこかにあると思うよろこび、そういう美しい光を発する世界があるのだと確信したよろこび、そんなよろこびを味わうことができないのだったら、そんなものはなくてもよいのだとうそぶくのだったら、生きているということは、なんなのでしょうか。


所詮、歌じゃないか、歌なんていっときのなぐさみもの。

本当にそうかな。歌って、本当にそんなはかないものなのかな。

そんなことはないと思うな。いっときのなぐさみものなんて気持ちでつくられ、生まれた歌が、人の心をほんのいっときでもなぐさめることができるのかな。

歌はレコードになるために生まれるものでもなく、活字になるために生まれるものでもないのです。ただただ、空気中をただようために、できることなら、いつまでも、いつまでもただよいつづけるために生まれてくるものではないでしょうか。

人はそれを呼吸するように吸ったり、吐いたりする。

アリアという言葉を辞書で調べてみて下さい。

Aria（伊）、Air（英・仏）、Arie（独）

歌とは、もともと空気のことだったのです。

なんという、言葉づかいの正しさでしょう。

歌、すなわち空気。

歌は空気である。

そうつぶやいた時、目の前の霧がにわかに足もとから晴れてゆき、どこかへつづく細い道がうっすらと見えてくるような思いがしませんか。

ぼくは、この道を歩いてゆこうと思う。


ぼんやりした私の眼に、見はるかす海辺の緑の砂地がうかんでくる。頭上の紺碧の空には、一輪の金色の丸い月がかかっている。思うに、希望とは、もともとあるものとも言えぬし、ないものともいえぬ。それは地上の道のようなものである。地上にはもともと道はない。歩く人が多くなれば、それが道となるのだ。

（魯迅『故郷』より）

あとがき

田辺茂一翁が、ある新聞紙上でぼくのことについて書いてくれたことがある。

その時、翁は、「疲れたら横になれ」と忠告して下さった。あまりにギスギスと生きているぼくを見るに見かねて言ってくれた言葉だと思う。

「疲れたら横になれ」

実に、含蓄の深い言葉なのだが、当時、ぼくは『時には娼婦のように』がヒットしていて、お祭り騒ぎとノイローゼの真只中にいたせいで、まるでうわの空、せっかくの翁の忠告に耳もかさず、ただただ気ぜわしく毎日を生きていた。実際は、「疲れたら横になれ」という言葉の意味もわかっていなかったのではないかと思う。

ところが、昨年の夏、ひょんなことから、憑きものがとれたように、ノイローゼというか、気のツッパリというか、そんなわだかまりから解放された時、肩の力ががくんと抜けて、まるで、金しばりにあったあとのような疲労感におそわれた。

あっ、そうか、このことだったのかと、ぼくはその時、初めて「疲れたら横になれ」という言葉の意味がわかったような気がした、と同時に、茂一翁に何もかもすっかり見すかされていたようで、恥ずかしくてたまらない思いだった。

ぼくが疲れることまで、手にとるように知っている。流石（さすが）、人生の達人ともなると、ものを見る眼が違うものですね。

ぼくはその日から、素直に横になることにした。そして、今なお横になりっぱなしだ。少し、休みすぎではないかと思うが、疲れが充分にとれたらまたゴソゴソと動きだすんだろうと思って、自分自身をほったらかしにしている。

そして思うことは、多分疲れて横になっていたから、この本を、まがりなりにも書くことができたのではないかということです。

茂一先生、あのひと言は、感謝をこめて、忘れません。


過去十五年間のぼくの作詩家生活は、ふりかえることさえこわいような、実に軽薄な、生意気な、鼻もちならないものだったと思います。なあんにもわかっちゃいなかったのです。ぼくは今回、この原稿を書きながら、そんなことばかり考えつづけていました。そういう自己反省の機会を与えられただけでも、ぼくは幸運だったと思っています。

まだ四十二歳、本当のいい歌を書くのはこれからだと思うのです。今までのは助走、これから先に、多分、大きな飛躍があるのではないかと、自分自身も励みにしています。

そんな若僧が、こんな本を書くこと自体が少しおかしい話なのですが、この本は、決して、人にものを教えるたぐいのものではなく、一作詩家の恥さらしであり、戒めであり、今後の作詩生活に当たっての決意だと思って許していただきたいと思うのです。と言って、何ができるという自信もないのですが……。

まさか、このような本を書くことはあるまいと思っていたので、なんの準備もなく、われながら拙い文章の羅列に顔あからめています。

なお、最後になってしまいましたが、ぼくにこの本を書くことを勧めて下さった伊奈一男氏、毎日新聞社の松任谷彦四郎氏、そして、筆が遅いために、かずしれぬご苦労をおかけした、同じく毎日新聞社の徳田浩氏に心からのお礼を申し上げます。

一九八〇年九月

なかにし礼

※田辺茂一（一九〇五−八一）は紀伊國屋書店創業者、作家、文化人。

『作詩の技法』のためのあとがき

この本の中では、通常「作詞」「作詞家」と書かれる言葉を「作詩」「作詩家」と統一している。もとはと言えば、作詞という表現は世間の作詩にたいする蔑視感が生んだものだと私は確信している。つまり「詩」は文学性の高いものだが、歌の文句は所詮遊びの延長線にあるものじゃないか、だから一段下の「詞」でいいのだ、「詩」なんて字は使わせない、といったところだろう。しかしそれは間違っていると思う。

なぜなら、中国の『三国志』時代の英雄である曹操は優れた武将であったが同時に「矛を横たえて詩を賦す」と言われるほどの詩人であった。中国文学の歴史は古いが、はじめて歌謡を採集して文字の形で残したのが『詩経』である。『詩経』は戦国時代、儒家の重要な六つの経典の一つとして重要なものだった。それが街に流れていた大衆歌謡を採集した押韻を伴う四言詩であったことを忘れてはいけない。

その後、魏の時代になって五言詩が生まれ、その後数百年にわたり文学の中心になった。その時代の重要な詩人として曹操・曹丕・曹植の親子三人が挙げられている。むろん曹操は自ら作曲して唄い、まわりの者も唄った。詩は本来唄われるものだったことをもまた忘れてはならないと思う。

私の座右の銘「志は千里に在り」は曹操の『歩出夏門行』という詩にある言葉だ。

老驥伏櫪　老驥(ろうき)は櫪(れき)に伏すも
志在千里　志は千里に在り

むろん曲がつけられ、みなに唄われた。

というように、詩はもともと唄われるものだったのである。歌謡曲の「作詩」を「作詞」だと言って区別というか差別したがるのは、ヨーロッパの詩人たちの詩を崇めたてまつり、その詩を模範として勉強した翻訳詩人たちや新体詩人たちの優越感が生んだものだろう。それをインテリを自称する新聞記者たちが追認したことにより、いつしか世の中のあたかも常識のようにして「作詞家」という言葉が世にはびこった。

歌は祝詞でもなければ芝居の台詞でもない。能の謡(うたい)の文句は通常「詞」と呼ばれているが、もともと台詞として生まれたものだから極めて自然なことだ。

歌の詩は音楽と合体することを前提としているから「作詩」と書くが、中身はれっきとした「詩」なのだ。「詩」であるがゆえに人の心を打ち、世間にひろがり、国境を越えて唄われることもあり、時代の波を乗り越えて、いつまでも空気中を漂うこともできるのだ。

北原白秋、西条八十、サトウハチロー、高橋掬太郎、藤浦洸等々、私たちの先輩作詩家ないしは詩人たちは、自分たちは「作詩」はしているが「作詞」なるものをしているとは思っていなかった。それが何より証拠には、彼らが作った団体の名は「日本作詩家協会」であり「日本訳詩家協会」である。そしてその後に誕生した各音楽賞も、「日本レコード大賞作詩賞」「日本作詩大賞」となっている。

こういう作詩家たちの気概と誇りを無視しつづけ、今なお世間で、つまりは新聞紙上では「作詞家」という表現をやめないのは誠に頑迷固陋な教条主義だと思う。私も一時は通常にまかせていたが、ある日からきっぱりと止めた。それは長年、「作詩」に携わってきたものの実感として、自分は決して「作詞」などしていない。私の「作詩」は、私の文学的活動の一環として、自分の小説や詩と同様の魂と情熱を傾けた作品である。

というわけですから、これから作詩を学ぼうとする人たちは、決して「作詞」をしているのだと思うことなく、どこまでも「詩」を書いているという意識をもって取り組んでいただきたい。それでこそ良い「作詩」が完成するのです。では、頑張ってください。

なかにし礼

二〇二〇年二月吉日

†本書は一九八〇年十月、『なかにし礼の作詞作法　遊びをせんとや生まれけむ』として毎日新聞社より刊行されました。復刊にあたり、加筆修正の上、新原稿を加えました。

なかにし礼（なかにし　れい）
一九三八年、中国黒龍江省（旧満洲）牡丹江市生まれ。立教大学仏文科卒業。在学中よりシャンソンの訳詩を手がけ、その後、作詩家として活躍。『石狩挽歌』『北酒場』『まつり』など約四〇〇〇曲の作品を世に送り出し、日本レコード大賞、日本作詩大賞ほか多くの音楽賞を受賞する。その後作家活動を開始し、二〇〇〇年『長崎ぶらぶら節』で第一二二回直木賞を受賞。二〇一二年三月、食道がんであることを公表。先進医療である陽子線治療を選択し、がんを克服したものの、二〇一五年三月にがんの再発を明かし、闘病生活に入るが、再び快癒し、現在、より活発な創作活動を再開している。著書に『兄弟』『赤い月』『てるてる坊主の照子さん』『さくら伝説』『生きる力　心でがんに克つ』『天皇と日本国憲法　反戦と抵抗のための文化論』『夜の歌』『芸能の不思議な力』『わが人生に悔いなし　時代の証言者として』など多数。

作詩の技法

二〇二〇年一〇月二〇日　初版印刷
二〇二〇年一〇月三〇日　初版発行

著者　なかにし礼
装幀　鈴木成一デザイン室
発行者　小野寺優
発行所　株式会社河出書房新社
〒一五一-〇〇五一
東京都渋谷区千駄ヶ谷二-三二-二
電話　〇三-三四〇四-一二〇一（営業）
　　　〇三-三四〇四-八六一一（編集）
http://www.kawade.co.jp/

組版　株式会社創都
印刷　株式会社暁印刷
製本　加藤製本株式会社

Printed in Japan　ISBN978-4-309-02894-1